JN097990

言語学的ラップの世界
川原繁人
Kawahara Shigeto
feat. Mummy-D｜晋平太｜TKda黒ぶち｜しぁ
g k b m o o a e e s n

東京書籍

## 常識踏みつぶし作る道路
——BUDDHA BRAND『天運我に有り（撃つ用意）』

contents

## 第3部 日本語ラップの現在地

インタビュー聞き手：川原繁人・しあ

# 日本語ラップと言語学者

# 第1章 言語学って何ですか？

## イントロ

本書は言語学の様々な観点から日本語ラップを考察したものである。「言語学って何それ？　美味しいの？」という読者も少なくないであろうし、言語学をすでに知っている人には復習を兼ねて、まずは少しだけ言語学についてお話ししよう。

「言語学」とは文字通り「言語」を研究する学問なのだが、実際にどんな研究がおこなわれているか、世の中の人たちにはあまり知られていないのが少し寂しいところだ。言語とは、我々人間にとって身近な存在であるが——いや、あまりに身近な存在であるがゆえ——改めて向き合うことが少ない。ゴスペラーズの北山陽一さんがこんな喩えを使って音楽について語ってくれたことがある。

「自転車に一度乗れるようになったら、どうやって体を動かして自転車を動かしているか、いちいち考えない。考えたら疲れてしまう。それと同じように、どうやって自分が歌っているかなど考え直すと頭が混乱してしまう。それでも考えると、その先に見えてくるものがある。その先にしか成しえない歌い方がある。」

言語に関してもまったく同じことが言える。母語を一度話せるようになったら、いちいち母語について考えたりしない人がほとんどだ。例えば、自分がどうやって「いちご」という単語を発しているのか。「い」では舌を硬口蓋（こうこうがい）に近づけて、声帯振動は止めないように、「ち」の発音のためには、舌で歯茎硬口蓋（しけいこうこうがい）付近を閉じ、声帯は大きく開き、閉じの開放後も摩擦が起こるよう舌の高さを保ち、「ご」では舌の胴体を使い、濁音の空気力学的問題に対処するために、喉頭を下げて……などと考えていたら、会話どころか「いちご」とさえ言えなくなってしまうであろう。しかし、それでも、言語について考えようというのが「言語学」である。言語を見つめ直すことで見えてくる新しい風景があるからだ。この命題が正しいかどうかは、本書を読み終えた読者のみなさまそれぞれに結論を出してもらいたい。

くり返すが、言語学はマイナーな学問で、世間様に何をやっているかあまり理解されていない学問だ（と私は感じている）。しかし、私は言語学という分野に誇りを持っている。なぜなら、人間にとって「ことば」とは決定的に重要なものであるからだ。人間がことばをまったく使わずに生活する日はない。他人と話す機会がなくても、独り言や言語を使った思考は必ずおこなっている。また、「人間は社会的動物である」という有名なことばがあるが、これは現代の心理学研究でも裏付けされている。孤独でいることは、タバコを1日15本吸うほど体に悪いらしい。つまり、他者とのコミュニケーションは人間の幸せにとって欠かせないものなのだ。このような社会的活動の基盤になるのは言語である。

ゆえに言語は、ヒトという種族をヒトたらしめているともいえる。世界中には多くの言語が存在するが、言語を持たないヒトはいない。また、鳥や蜂など体系的なコミュニケーションシステムを持つ生物の報告はなされているが、人間言語ほど複雑な仕組みを持った生物は、やはりいない。よって、言語を研究することで「人間とは何か」という問題に光をあてることができる。これは現代言語学に通底する信念のひとつだ。

一方、人間はことばによって芸術を紡ぐこともある。日本人にとってもっとも身近な言語芸術の例は「短歌」かもしれない。そして本書のテーマとなる「うた」も言語芸術である。ことばによって歌詞を作り出し、それをメロディーに乗せ、リズムよく紡ぎ出す。言語を持たない文化がないのと同様に、音楽を持たない文化もない。「言語」と「うた」、この2つが、ヒトがヒトであるために欠かせない要素なのであれば、これらを同時に探究する意義は大きいはずだ。本書では、以上論じてきたことを踏まえて、「言語学」と「ラップ」について紹介していきたいと思う。

## なんで言語学者が
## ラップを語るんですか？

次章で詳しく紹介するが、学生時代の私は、ただ日本語ラップが好きだった。好きなラップを聴いているうちに、いつしか自分で韻の仕組みを分析するようになっていった。その頃は、何か見返りを求めていたわけではなく、ただただ好奇心に導かれて研究していた。しかし、そんな研究は少しずつ有名になっていき、いつの間にか自らの分析をプロのラッパーたちに披露する機会にも恵まれ、メディアに出演する機会も多く頂くようになった。

近年では、日本語ラップを大学教育に取り入れる意義を強く感じるようになり、数多くのラッパーを授業にお招きして、様々なことを言語学者として——そして大学に身を置く教育者として——考え続けている。日本語ラップから我々が学べることは、多岐にわたる。日本語の構造を見つめ直すこともできれば、アメリカの社会状況を理解することもできる。さらに、コロナ禍のようなストレスが溜まる状況で前向きになれる力ももらえる。本書では、これらの「ラップを学問する効用」について具体的に伝えていきたいと思う。

## あなたは誰なんですか？

本書の語り部となるのは、私（わたくし）川原繁人、ひと言で言えば、

「ラップ好きの言語学者」だ。この7、8年ですっかりお茶の間に浸透した日本語ラップであるが、私自身の日本語ラップとの付き合いは20年を超す。私は音楽家ではないし、ラップができるわけでもない。自分の好みは語れるとしても、ラップに関して評論するなどもってのほかだ。

しかし、私は「言語学者であり、かつ、日本語ラップ好き」という珍しい存在であることは確かだ。アメリカでホームシックに悩まされながら研究者になることを目指していた頃、日本語ラップに何度助けられたことか。

正直なところ、最近の楽曲について詳しいかと問われれば否である。しかし、言語学者として私がどうラップに関わってきたのかであれば喜んで語りたいことはたくさんある。最近、Mummy-DさんやZeebraさんなど、日本語ラップの礎を築いてきた人たちから「言語学という外の立場から、自分たちが作り上げてきた日本語ラップの手法を分析してくれるのはありがたい」と言ってもらい、ますます言語学的なラップの分析に意義を感じている。

個人的な話になるが、これまでの研究者人生幾度となく、ラップに支えられてきた。例えば、私が敬愛するラッパーのDEV LARGEが『ONE LIFE[1]』の中で放ったパンチライン[2]「俺の芝生が一番青い」は私の座右の銘である。これは決して「俺の人生ってすごいだろ〜〜」という意味ではないと私

1 DJ MASTERKEY『ONE LIFE（WON LIGHT）feat. DEV LARGE, SUIKEN, NIPPS』
2 心に残る名言のこと。もともとの英語の意味は、ジョークなどの聞かせ所、要は、「おち」の部分。

は理解している。我々は（少なくとも私は）、他人のものや状況をうらやましがって、自分に与えられている状況に十分感謝しないことが多い。そう、「他人の芝生は青く」見えてしまうのである。私自身、学部を卒業してすぐにアメリカの大学院に留学したものの、アメリカ文化になじめず、何度も「この選択で良かったのか？　日本で勉強している友だちはいいな」と思ったことがあった。しかし、DEV LARGEのことばを聴いてからは、自分の決断を信じることができた。生活自体はつらくても勉学に打ち込むことができた。その後も他人の人生をうらやんでしまいそうなときには、いつも「俺の芝生が一番青い」ということばを思い出す。DEV LARGEのおかげで今の研究者としての自分がいる。

「いくらチャラついてたってやる事やってりゃ様になる」という漢のことば（『覆水盆に返らず』[3]）にも幾度となく助けられた。私は日本語ラップの他に、秋葉原のメイドさんの名前やポケモンの名前、プリキュアの名前などについても研究しているが、昔は「そんなものは言語学ではない」との批判も受けた。しかし、題材がポップであっても、研究手法はしっかりと守れば「様になる」ということを漢が教えてくれた。

本書は、そんな川原繁人が日本語ラップに対する溢れんばかりの愛を込めたものである。

3　漢『覆水盆に返らず 新宿路団 feat. VAL』

## 本書の構成について

本書は、3部構成になっている。まず第1部では、私と日本語ラップの関わりを語らせてもらった。第2章の**朝礼**は、後に続く議論への土台となるが、独立した読み物としても気楽に読んでもらえると思う。第3章の**エピソード0**は私が大学院のときに書いたエッセイを編集したものだ。第2部には、私の大学の授業（っぽい話）が収録されている。私がどのような経緯でラップを大学教育に取り入れることになったのかから始めて、ヒップホップが生まれた歴史的・社会的背景などを説明する。そこから、コロナ禍で私の座右の銘のひとつに加わった「制約は創造の母である」という命題について論じ、最後は、私の日本語ラップに対する結論である「日本語ラップは言語芸術である」という議論を展開したい。

第3部では、実際の授業にも来てくださったTKda黒ぶち先生、晋平太先生、Mummy-D先生に色々なお話をうかがった。客演として加わっている最後のひとり「しあ」は主にここで活躍する。

本書ははじめから読み進めてもらっても良いが、自分の興味に合わせて色々な読み方ができる仕掛けになっている。右のフローチャートを参考にしてくれれば幸いだ。

## 『言語学的ラップの世界』読み方チャート

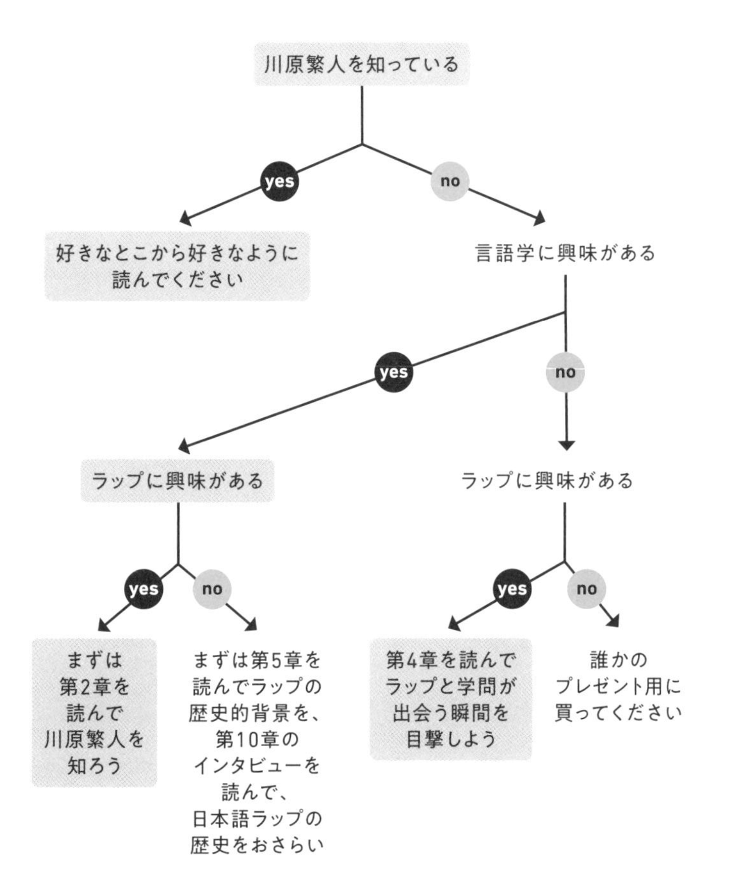

# 第2章

## 朝礼：
## 先生の長い思い出ばなし

### イントロ

本書では、言語学者である私が日本語ラップとどう付き合ってきたのか、そこから何を学んできたのか、そして若人たちに何を伝えたいかを存分に語ることにする。まずは、以降の話の土台とするために、少し長めの思い出話から始めさせてほしい。

また、つまるところ——自分で言うのもなんだが——本章の話は大きな「わらしべ物語」でもある。一つひとつの出会いと努力が次につながっていった。それぞれのステップは、そこまで大きなものではなかったが、それらはやがて、自分でも想像していなかったような大きな流れになっていった。現代の日本社会は、勉強・仕事・努力の結果がすぐに求められる世知辛い世の中になっている。悪い意味で、短期的に見える形での成果が期待されている。そして、自分もその世知辛さの被害者であり加害者でもある。しかし、自分と日本語ラップの関係を振り返ってみると、「自分の努力がいつ・どんな形で報われるかは分からない」と強く感じる。すぐに成果が出なくても、自分を信じて好奇心に任せて動いていれば、数年後、いや、もしかしたら十数年後に、きっと良い結果が思いがけない形で待っている。全体を通して、そんなメッセージが伝わるだけでも嬉しく思う。これは自分への戒めとしても心に刻みたいメッセージだ。

さて前置きは十分だ。思い出をさかのぼって、時計の針を30年ほど前に戻していこう。

## 男子中学生のたしなみ '95

私が中学生の頃、すでに日本語ラップは流行り出していた。キミドリやEAST ENDなど、「新しくて面白い音楽ジャンルがある!」的なノリで、特に音楽好きの友だちは話題にしていた。正直、当時の私は、そこまで音楽好きというわけでもなかったので、名前くらいしか知らなかった。しかし、そんな私でも知っていたのが、スチャダラパーである。特に『今夜はブギー・バック[1]』はカラオケでよくみんなで歌っていた。

> 「よくない コレ?」
> 「コレ よくない?」
> 「よくなく　なくなく　なくなくない?」

というANIとBoseの掛け合いは男子校生の間で大流行り。

1　小沢健二『今夜はブギー・バック（nice vocal）feat. スチャダラパー』

カラオケで初めてこの掛け合いを聴いたときの「こんな楽しい歌があるのか」と感じた衝撃は今でも胸に焼きついている。

『サマージャム'95[2]』も人気だった。古き良き昭和の日本が描写され、中学生ですら少年時代を懐かしく思った。何かに——例えば、女の子に告白するかどうか[3]——悩んでいれば「べきかな？」と問い、「べきだよ！」と返してもらい、それに「べきなの？」と答え、「べきとも!!」と返してもらう。大人になった今でも、人生「奴(やっこ)でも食って　デーンと構えて」いたいものだとよく思う。夏休みの休日に「再放送のドラマでも見て　気がつくと　昼寝になってたり」するなど、子育てと仕事を両立しようとしていると、夢のまた夢。でも、だからこそ、『サマージャム'95』には今でも癒やされる。2023年になった今でも、『サマージャム'95』は現代社会の日々に忙殺される我々への一服の清涼剤だ。

スチャダラパーの曲の他には、『DA.YO.NE』や『MAICCA（まいっか）』も、かなり流行った[4]。ハードコアなEAST ENDが東京パフォーマンスドールの市井由理を客演に迎えキャッチーな曲を発表、紅白歌合戦にまで出場して話題になった。しかも、『DA.YO.NE』は『SO.YA.NA』や『DA.BE.SA』など[5]色々な方言バージョンも作られて、それがまた



2　スチャダラパー『サマージャム'95』
3　私は男子校出身なので、この具体例は過去を過剰に美化した妄想の産物だろう。実際は、部活の帰りにラーメンを食べるかどうか程度の悩みだったと思う。
4　EAST END × YURI『DA.YO.NE』、『MAICCA（まいっか）』
5　WEST END × YUKI from O.P.D.『SO.YA.NA』、NORTH END×AYUMI『DA.BE.SA』

楽しかった。これらのメジャーな曲たちは中学生のたしなみとして聴いていたものの、特段、自分が日本語ラップにはまるとは、この頃は思いもしなかった。まして『DA.YO.NE』の作詞を担当したラッパーと対談して、彼から素敵なあだ名を拝命するなどとはこれっぽっちも思わなかった。まぁ、当たり前だけど。

## 幼馴染み・レコード・ミックステープ

日本語ラップとの本当の出会いは、大学4年生のときに友人がくれた1本のミックステープである。その友人とは、幼稚園から小学校まで一緒だった。中高は別だったものの、家が近かったおかげで、高校2年生のときにばったり再会。私は、進学校に進み「お受験勉強」が第一になってしまったが、彼は音楽やデザインの道を志していた。聴いている音楽の量も私とは比較にならない。彼はDJを目指していたこともあって、レコードをかけるターンテーブルも部屋にあった。我が家ではあまり音楽を聴くという習慣がなかったから、レコードが部屋に並んでいるというだけで新鮮な気分である。彼の部屋でのんびり音楽を聴きながら思い出話に花を咲かせる、なんていう贅沢な時間を過ごしていたものだ。彼は私の勉強ができるところを尊敬してくれていたし、私は彼が音楽という私が体験したことのない世界を惜しげもなくシェアしてくれるところに惹かれた。学者という人生を歩んでいく中で、彼のような友人を持てたことはありがたいことだと思う。おかげで、「お勉強」だけしかできない人間にならずにすんだ（と思いたい）。彼は、「お勉強ができる人だけが偉い、なんてことはまったくない」ということを教えてくれた。人間、自分に持っていないものを持っている人に惹かれるというのはさもありなんである。

さて、そのミックステープであるが、私の記憶が確かならば、たしかこんなラインアップだった：





**『よる☆かぜ』**（ケツメイシ）
**『One』**（RIP SLYME）
**『AREA AREA』**（OZROSAURUS）
**『ひと夜のバカンス』**（SOUL SCREAM）
**『蜂と蝶』**（SOUL SCREAM）
**『イツナロウバ』**（KICK THE CAN CREW）
**『Go to Work』**（KOHEI JAPAN）
**『カンケリ01』**（KICK THE CAN CREW）
**『MASTERMIND』**（DJ HASEBE feat. Zeebra, Mummy-D）
**『バースデイ』**（DJ TONK feat. 宇多丸）

今思えば、ノリが良くて聴きやすい曲調の曲が多く、入門編としてはこれ以上ない素晴らしい選曲だったと思う。

大学4年生の当時、すでに私は言語学に人生を捧げようと決心していた。ことばを分析する魅力にとりつかれていた私は、日本語と戯れながら格好いい曲を作っているラッパーたちにすぐ惚れてしまった。そこで、このミックステープの中に入っているアーティストたちのCDを足がかりとして、日本語ラップという分野を自分で開拓していくことになった。当時の大学までの通学時間は約75分。電車を使うと4本＋バスというおかしなことになるので、自転車通学を主としていた。基本的に、通学中（もそれ以外の時間も）ずっと日本語ラップを聴いている人生が始まった[6]。

また、のんびりサイクリングロードを走っていると、結構良いアイディアが思いつくのである。余談になるが、私はこの年になっても、机の前でうんうん唸っているときに、ろくなアイディアを思いついたことがない。散歩したり自転車をこいだりしているときにこそ良い閃きが待っている。私のラップ研究の種は、あの通学時間に芽吹き出していた。



## 日本語ラップ研究第1弾：学部生で研究発表

そうやってラップを聴きながら通学していると、日本語ラップの韻が気になり出した。当時はまだ一人前の研究者と呼ぶにはほど遠い学部生だったが、日本語ラップの言語学的

6　2002年頃の話です。2023年現在、イヤフォンで音楽を聴きながら自転車を運転することは多くの自治体で禁止されていますのでご注意ください。

な分析はまったくの未開拓の分野だったから、それなりに分析できることがあった[7]。まずは基本的な事項から。なるほど、日本語ラップの韻は、最後の母音だけでなく、単語全体の母音を合わすこともあるのか。例えば、宇多丸は『バースデイ』の中で、「**待つぜ**」と「**バースデイ**」で韻を踏んでいる。音の観点から考えると、[**matsuze**]と[**baasudee**]だから[8]、[**a…u…e**]と母音が一致している[9]。短い母音と長い母音が韻を踏めるということは、母音の長さはあまり関係ないらしい。KICK THE CAN CREWは、「**イツナロウバ**」、つまり英語の「**it's not over**」が日本人にどう聞こえるかを表現して、「**静まろうが**」と韻を踏む。[**i…u…a…o…u…a**]。なんと6つも母音が一致しているじゃないか！　しかも、英語と日本語がこのような形で結びつくことが可能なのか！　これってすごい技術だよね？　このような韻の手法に強い新鮮味を覚え、ますます深い沼にはまっていった。

当時、学者の卵として早熟だった私は、生意気にも学部生の頃から大学院生の部屋に入り浸っていた（いや、本当に周りからは生意気に見えていただろうと思う）。しかも、大学院生の



**7**　余談だが、ここに言語学の魅力がひとつ隠れている。言語学は、歴史の浅い学問であるがゆえに、まだまだ発見されていない現象がたくさん眠っている。だから学部生であっても、新たな発見ができる。物理学や数学だったらこうはいかないのでは、と思う。

**8**　日本語では「えい」と書かれていても[ee]と発音され「おう」と書かれていても[oo]と発音され、韻ではどう発音されるかが大事なことが多い。

**9**　言語学では、音を表すときに[ ]で囲み、国際音声記号（International Phonetic Alphabet: IPA）という表記システムを使うことがお約束になっている。ただし、本書は読みやすさを重視して、あまり表記の正確性にはこだわらず、ローマ字表記に近いものを使う。言語学に慣れている人はIPAに脳内変換してくださいです。

発表会にまで潜り込み、あろうことか発表までしている。もちろん、題材は日本語ラップだ。その発表会で発表された論文をまとめた冊子に私の論文も収録されていた。本書執筆のために読み返してみると、私の論文のタイトルはAspects of Japanese hip-hop rhymes: What they reveal about the structure of Japanese（「日本語ヒップホップにおける韻の諸相：それらが日本語の構造に関して与える知見」）。タイトルからして大風呂敷もいいところだ。今だったらこんなタイトル絶対つけられない。が、若さゆえの大胆さも感じる。それに、「ラップ」と「ヒップホップ」の違いを理解していないという無知を晒している（→詳しくは第5章）。

とまぁ、世間に晒すのも恥ずかしい論文ではあるのだが[10]、なかなかどうして、読み返してみると内容は悪くない。その論文の中では、①「**日本語の韻として成り立つためには、最低でも2個以上の母音が揃っていること**」②「**日本語の韻の単位は拍でなく音節[11]であろうこと**」③「**ある一定の母音が字余りとして許されること**」などが論じられている。自分で言うのもなんだが、学部生にしてはよくできた発表である。今、自分の学生がこんな発表をし出したら、絶賛したであろう。本当に自分で言うな、ではあるが。

10 恥ずかしいけど、せっかくだし、本書のサポートページで晒すことにした。興味がある人は、ぜひどうぞ。学部生が書いた論文であることをお忘れなく。

11 音節が韻においていかに重要な役割を担っているかは、近年私が考えていることを含めて第7章にじっくり解説する。当時の気づきはもっと単純で、「母音だけでなく、それに後続する『っ』や『ん』も韻に参加してそうだ」という観察である。「っ」や「ん」は前の母音と1つの音節を形成することが言語学の研究から分かっていたので、当時は音節が韻の単位であると主張した。

学部生の私が発表した内容は、今振り返ってみても基本的に間違っていないと思う。②と③については、のちのち発展していく内容になるので、後でじっくり説明させてほしい。ここでは①について掘り下げよう。「最低でも母音が2つ合う」という条件は、言語学的に考えると非常に面白い。実は、日本語の基本的な最小単位は「2拍（はく）（≒文字）」なのである。例えば、愛称を考えてみると「ありさ」の愛称は「あー＋ちゃん」でも「あっ＋ちゃん」でも「あり＋ちゃん」でも良いが、基本的に「2拍＋ちゃん」となる。「あれ？　でも、『胃』とか『実』とかって単語は、1拍しかないじゃない？」と疑問に思ってくれた賢明な読者様は鋭い。しかし、「実がなっている」という文から「が」を落として発音してみてほしい。「みぃなっている」と「実」の部分が伸びるであろう。これは、助詞が付いた「実が」であれば最小単位を満たすものの、「実」だけだと短すぎるので、母音が伸びるのである。実際に形容詞をつけて「赤い実なっている」とすれば、「実」は伸びなくて良い。よって、「日本語＝最低2拍」と考えるのには、それなりの根拠がある。

しかも、「2」が最小単位であると考えられる言語は他にもたくさんある。意外に思われるかもしれないが、英語ですら「2拍が最小単位」なのだ。例えば、前置詞や冠詞などを除けば、短い母音1つだけで構成される単語は存在しない。また短縮形において、例えばprofessionalを縮めると[proʊ]となり、professorを縮めると[prɔf]となるが、[prɔ]と短い母音

1つまで省略されることはない。少なくとも母音2つか、母音1つと子音1つ、合計2個が必要になる。つまり、「最小＝2拍」という制約が英語でも成り立つ[12]。

人間言語は、短すぎる単語を許さないらしい。このような観察は1980年頃から様々な言語でなされていた。そう、日本語でも英語でも、他の様々な言語でも。とある研究書では、実に40もの言語でこの制約が成り立つとされている。その観察を私は日本語ラップに結びつけたわけだ。しかも、この最小単位を形成する2拍という単位は、「韻脚（いんきゃく）」と呼ばれ、もともとは文学の世界で詩歌の分析に使われていた概念で、のちに言語学に輸入されたものだ。同じ詩歌であるラップの分析にぴったりではないか。もしかしたら、日本語の韻の基本単位は「2拍の韻脚」なのではないか。言語学の理論で提唱されている抽象的な概念が、日本語ラップの性質を捉えるのに有用なのではないか。そんな仮説に胸をときめかせていた[13]。

ちなみに、この仮説は15年後、Zeebraさん[14]の授業に参加

12　「あれ？　[pr]の部分は？」と思ってくれた人は鋭い。母音の左側にくる子音は「頭子音」と呼ばれ、最小単位の数に数えられることもなければ、脚韻に参加することもない。

13　意外に思われるかもしれないが、理論家にとって、これはかなり嬉しい瞬間なのだ。理論家は、観察された現象を説明するために、「拍」や「韻脚」という理論的構築物を仮定する。しかし、これらの存在は目には見えないから、実際に存在するのか不安になることもしばしばである。だから、そんな理論的構築物が現実の「うた」というパターンに現れていると考えられるとき——つまりその心理的実在が感じられるとき——とても嬉しくなるのだ。

14　「あれ？　急にラッパー名に『さん』をつけて、ちゃんと表記を統一していないの？　著者 and/or 編集者の怠慢？」とツッコまれた読者の方へ。あくまでアーティストとして言及する場合は呼び捨て、個人的な交流の文脈でお話しするときには「さん」をつけさせてもらう。さすがに後者の文脈でラッパーの方々を呼び捨てにできるほど、私の心臓は強くない。

したときに、ラッパー本人からの発言によって裏付けられることになる。Zeebraさん自身、「韻を踏むときには2拍を基本にするべし」とおっしゃっていたのだ。ただ、Zeebraさんとの出会いに至るまでまだ少し時間がかかったので、その話にはのちのち戻ってくることにしよう。

## ヒップホップの本場アメリカ東海岸で日本語ラップばかり聴く

さて、私は生粋の日本育ちであったが、大学院はアメリカに行くことに決めていた。大学3年生のときにカリフォルニア大学サンタクルーズ校に1年間交換留学をし、「言語学を学ぶのであれば、やっぱり本場のアメリカで！」と思ったのである。それに太陽光あふれるビーチも近いサンタクルーズでの大学生活は本当に楽しかった。友人たちにも恵まれて、「ホームシック？　何それ美味しいの？」的な交換留学の時間を送っていたのだ。

日本語を学んでいる友人たちと出会い、私は彼ら・彼女らに日本語を教え、お返しに英語を教わった。夜にはビーチにくり出して、友人がギター片手に昼間の授業について語り出す。控えめに言っても人生が楽しくてしょうがなかった。週末には、サンフランシスコにくり出し、カラオケでビースティ・ボーイズの『Fight for Your Right』を熱唱した。中高生時代によく聴いていたスチャダラパーが彼らに影響を受けていたなどということは当時知るよしもなかった。

　というわけで、交換留学プログラムが終わる頃には、アメリカの大学院への進学を決意していた。どうしてもアメリカの大学院に進学したかった私は、交換留学が終わっても日本に帰らず、西海岸から東海岸へ単独で飛び立った。そのまま、東海岸の志望校を回って、憧れの先生たちにアポをとって「突撃、私をあなたの大学院に入れてください作戦」を決行。今思えば勇気ある行動だが、この作戦が無事に実って、マサチューセッツ大学からオファーを頂いた。しかも、なんと私はこの突撃作戦だけで——つまり正式に出願することなく——合格をもらったのである。日本に帰ってすぐ「教授会で君を大学院生として迎えたいということが決まったから、是非来てね。入学願書は形だけでいいから出しておいて」というメールが届いていた。若さゆえの怖いもの知らずの行動力で、今の自分には真似できないが、昨今の大学生は遠慮深すぎる気もする。こういう怖いものなしの行動力によって、もしかしたら新たな世界が開けるかもしれない。自分から積極的にアピールするって大事よね。

　はてさて、そんなこんなで5年間を東海岸のマサチューセッツ大学で過ごすことになったのだが、学部生の交換留学とは訳が違う。毎日がホームシックとの戦いだった。なぜ学部と大学院でこんな違いが生まれたのかは推測の域を出ないが、まずひとつは気候の違いがある。太陽光あふれる西海岸のサンタクルーズと、気温がマイナス20度まで下がる東海岸の田舎町アムハーストでは気候が全然違う。環境が人間の精神に与える影響を甘く見ていた。この教訓を生かし、私は今でも陽を浴びながら自然の中で仕事ができるときは、できるだけそうするようにしている。そうしないと落ち込みやすい自分がもっと落ち込むことを自覚しているからである。

もうひとつの要因は、学部生と大学院生の違いである。学部時代の勉強は大変ではあったが、それでも与えられた課題をこなせば褒めてもらえる。しかし、大学院生になると話がまるで異なる。「何をどう研究したら面白いのか」を自分で模索しなければならないし、それをどこまで面白くできるかも自分次第である。期待されていることが、学部生では「有限」だが、大学院生になってからは「無限」になると表現してもいいかもしれない。しかも、周りは世界中から集まった優秀な頭脳の持ち主ばかりだから、劣等感を抱くこともしばしば。自分の英語の下手さに絶望し、偏微分方程式を自在に操れないことに劣等感を抱く。そんな生活が苦しくないわけがない。日本食も日本語も恋しいし。

そんな私を救ってくれたのが日本語ラップなのである。前述したDEV LARGEの「俺の芝生が一番青い」(『ONE LIFE』)というパンチラインには本当に救われた。自分の選択を信じ続けることができたのはDEV様のおかげだと思っている。日本語ラップを聴いているとき、私は日本語と戯れることができた。当時は、今と違ってYouTubeなどで楽曲が自由に聴ける時代ではなかった。だから、日本語ラップのファンサイトやBBS（オンライン掲示板）に常駐し、話題の曲は、日本に一時帰国したときに、必ずチェックした。例の幼馴染みと一緒に、MUROが経営していたヒップホップショップの「SAVAGE!」にもミックステープを買いに足を運んだ。ヒップホップの本場であるアメリカ東海岸にいたにもかかわらず、日本語ラップばかり聴いていたのだ。今考えると少しおかしな話である。

## アメリカの大学院で日本人の自分が個性を発揮するには

そうしているうちに、上記の「優秀な頭脳が集まる大学院の中で、自分の個性をどう発揮できるか」という悩みに答えが見いだせるような気がしてきた。そう、日本語である。周りのどんな頭が良い人たちよりも、自分は日本語に詳しい。それを分析対象とすることで、自分の強みとしてはどうだろう？　そして、日本語ラップをもう少し掘り下げて分析してみたらどうだろう？　これなら他の誰にもできないことだ。実際に、現在に至るまで、「日本語ラップの言語学的分析」と言えば、川原繁人の名前があがる[15]。

こうして本格的な分析が始まった。当初は、日本語ラップにおける韻は「母音」に基づいて定義されるものと思っていたし、実際にちまたの（＝ウェブサイトなどに出てくる）定義で

15 いや、R-指定さんもやってらっしゃるのは重々承知しています。知名度ではまったくかなうべくもないが、いちおう時系列的には私の研究のほうが先だと思う。ぜひR-指定さんの研究会にラボメンとして入れてもらいたい。

も「母音を合わせること」と出ていたと思う。しかし、その定義は単純すぎるな、とも思い出していた。まずは、母音だけでなく子音もまったく同じ韻が少なからず存在することが気になった。例えば、FLICKによる「**気使って**（きぃつかって）」と「**3つ買って**（みっつかって）」の韻（『やまびこ44号[16]』）。最初の子音（[**k**]と[**m**]）は異なるものの、他の子音は全て一緒である。そして、言語学者としてもっと興味をそそられた例は、「似た子音」が使われている例だ。『バースデイ』における宇多丸の「**待つぜ**[**matsuze**]」と「**バースデイ**[**baasudee**]」の子音部分に注目してみよう：

**[m…ts…z]**
⇅　⇅　⇅
**[b … s…d]**

[m]と[b]は両方とも発音するときに唇が閉じる（読者のみなさま、ぜひ、自分の口を使って発音してみてください）。「つ」と「す」は、何となく響きが似ていると感じられる人が多いと思うが、[ts]と[s]で、専門用語で無声阻害音という。両方とも声帯が振動せず、口の中で空気の流れが強く阻害される音だ。[z]と[d]は、有声阻害音——ようは濁音——のペアである。

そして、私が日本語ラップについて語るとき、必ず出す例がこちら。「またこの例かよ！」という私の過去の著作（複

16 I-DeA『やまびこ44号〜weekend story〜 feat. FLICK』

数形）に目を通してくださった尊き読者様からのツッコミは覚悟の上で、この言語学的には「奇跡」とも呼べる韻についてお話しする。『MASTERMIND』において、Mummy-Dが踏んだ「**ケッとばせ**[**kettobase**]」と「**Get Money**[**gettomane**]」の韻。これから子音を抜き出すと：

**[k…tt… b…s]**
**⇅ ⇅ ⇅ ⇅**
**[g…tt…m…n]**

という対応関係が見えてくる。なぜこの韻がそこまで美しいと言えるのか？　日本語において、言語音を出すために使われる器官は主に3つある。口の前のほうから、①唇、②舌先、③舌の胴体だ。これを考慮して、件の韻を見てみると：

**[k] | [g] = 舌の胴体　・　[b] | [m] = 唇　・　[s] | [n] = 舌先**

と、全ての子音のペアにおいて、音を出すために使う器官が一致している（[tt]は同じ子音だから、脇に置いておこう）。しかも、発音に大事な3つの器官が全て含まれている。よって、これは言語学的に奇跡のような韻なのだ。異論は認めない。

このような例を見ていくと、一般的な日本語ラップの韻の定義では「韻において子音は無視される」と言われているが、無視されているにしては、似た子音や同じ子音がよく出てきすぎている気がする。

## 憧れの先生にちょっとラップさせられる

この直感めいた観察をしっかりと検証してみてはどうだろうか……。しかし、実際にどのように分析したら良いのか分からず、また、この分析をおこなうことが言語学という分野にどのように貢献するかも明確でなく、悩んでいた。だが、ちょうどそんな頃、Donca SteriadeというMIT[17]（マサチューセッツ工科大学）の先生がうちの大学に講演に来てくれた。しかも、その講演内容が①ルーマニア語の詩において、似たような子音であれば韻として認められる、という内容で、加えて、②「似たような」の定義に知覚的な要素が関わっていること、③このような現象はルーマニア語だけでなく、英語やドイツ語などでも観察されること、そして④これらの観察がいかに言語学において重要であるかを論じてくれた。例えば――これはDoncaが提示してくれた例ではないが――ラップという音楽を初めて商業的に成功させたシュガーヒル・ギャングの『Rapper's Delight』では、stopとrockで韻を踏ん

17 現代言語学の主流のひとつ「生成文法理論」を提唱したノーム・チョムスキーが長く在籍しており、言語研究を常に牽引してきた大学である。ただし、音の研究に関しては、マサチューセッツ大学のほうが私の研究興味に合っていたので、私は後者の大学院を選んだ。

でいる。語末の[p]と[k]は異なる子音であるが、両方とも「無声破裂音」という音で響きが似ている。どちらも声帯は振動せず、口の中で1回空気の流れが完全に遮断され、口腔内の気圧が高まるため、破裂が起こる。このような韻の踏み方が世界中の至る所で観察される。人間はもしかしたら響きの似た音をペアリングすることを好む生物なのかもしれない。その性質が人間言語の様々なところに表れているのかもしれない。そんな内容の講演だった。

これはもしかすると、もしかするのではないか。そこで、講演後のパーティーでDoncaに話しかけてみた。「僕、日本語ラップ好きなんですけど、先生の発表内容と同じことが日本語ラップでも成り立つかもしれません」。そこでDoncaがひと言。「興味深いわね。ちょっとやってみて」。

ちょっとラップさせられた。

選曲はKOHEI JAPANの『Go to Work』。「男なら働け　空にはばたけ　そして手に入れようぜ札束　貫き通せ　夢があるなら」。ホームシックに耐えながら頑張り続ける自分には心からしみていた歌詞だ[18]。さて、いきなり同級生や先生たちの前でラップさせられ、顔から火が吹き出るのではないかと思ったが、

18　「男なら」という表現は、ジェンダーフリーの観点からは好ましくないことは承知していますが、あくまで歌詞の引用です（また、この楽曲のリリースは2000年）。女の人も働いて、空にはばたいてほしいと思います。それに、お金持ちになるために言語学者になったわけではありません。もっと儲かる職業は他にありますので、一攫千金を狙う人には言語学はお勧めしません。

Doncaは至って真面目な顔だった。「韻が始まる部分に高い声調が聞こえるわ。きっとそれで韻を表現しているのね。子音の事実も面白そう。ちゃんと分析してごらんなさい」。これがきっかけで、私のラップ好きは学部中に知れ渡り、MC Shiggyというmcネームまで拝命し、研究を続けることとなった。

## 「日本語はラップに向いていない説」に終止符を

また、研究者としての興味の他に、日本語ラップを言語学的に分析する動機がもうひとつあった。それは「日本語はラップに向いていない説」である。当時のネット掲示板では、「日本語ラップは格好いい」vs.「日本語ラップはダサい」バトルがくり広げられていた。後者の論調の中でも私の目に留まったのが、「日本語は母音が5つしかない。しかも全ての単語が母音で終わる。小節末に母音が1つ揃っていても、それは技法でもなんでもない」といった趣旨のものだった。例えば、私が中学生のときに惚れたスチャダラパーの『今夜はブギー・バック』の韻を考えてみよう：

> **123を待たずに**
> **16小節の旅のはじまり**
> **ブーツでドアをドカーッとけって**
> **「ルカーッ」と叫んでドカドカ行って**

1行目の「**に**」と2行目の「**り**」は母音が[**i**]で共通している。3行目の「**けって**」と4行目の「**行って**」は母音が[**e**]で共通している。「日本語ラップはダサい」派の人々は、「このように母音が1つ合うのは20%で起こることだから、それではつまらん」と言っていたわけだ。

私は、これをラップに恋する言語学者への挑戦と一方的に受け取った。別にこの主張は当時まったく無名だった私に向けられたわけではないので、本当に一方的にだが。しかし、そちらが日本語の言語学的特徴に基づいて論を展開するのであれば、こちらも言語学者として反論させてもらおうではないか。

賢明な読者様はすでにお気づきのことと思うが、上の議論には大きな穴がひとつある。日本語ラップの多くの韻において、「母音が1つ揃っていても」の前提の部分がそもそも間違っている。すでに見てきたとおり、日本語の韻において揃う母音の数は必ずしも1つではない。「イツナロウバ」の例のように、6つ揃うことだってあるのだ。前提が間違っているから、結論も間違っている[19]。しかし、もっと深いことが言いたかった。そこで子音の分析が役に立つのでは……と思ったわけだ。当時、すでに私の中で「日本語ラッパーたちは、言語的感性に非常に優れた人々だ」という直感があった。

---

**19** もちろん、スチャダラの韻が劣っている、などと言っているわけではない。スチャダラにはスチャダラでしか味わえない感動がある。それどころか「韻＝母音」ではないことを理解すると、スチャダラの韻も十分に技巧的であることが見えてくる。

それを言語学的な立場から実証することができれば、日本語ラップを擁護できるだろうと思っていたのだ。

さて、これまた運命の偶然というか、なんというか、当時の私は統計の勉強を始めていた。言語の研究のためには、質的な研究だけでは不十分で、量的な研究が不可欠だと思い始めたからである。ようは「XXみたいな例がありますよ」だけでは不十分で、「XXみたいな例がYYの頻度で起こっていて、ここからZZと推測できる確率はWWですよ」というような議論展開が必要だと感じたのだ。ただし、当時の言語学部では統計を学ぼうとする人は少数派だったから、心理学部にお邪魔して、まったく専攻が違う院生たちに混じって勉強した。

例の掲示板の相手に「母音だけでなく、子音も似たものが組み合わされています」と声高に主張してみても、「都合の良い例を持ってきているだけでしょ？」的に反論されるのが目に見えていた。もちろん、学会で発表するためにも、面白そうな例をピックアップするだけでは不十分だ。統計的な手法を使って検証するべきだ。そういう目標を胸に、統計の勉強に勤しんだ。高校2年生のときに、「私立文系志望」などと自分の視野を狭め、数学の勉強をやめてしまった自分を呪いながら、高校数学の教科書を日本から取り寄せ、高校数学の復習から始めた。統計の勉強をするのに一番の近道は、自分で解きたい問題を持つことだ。統計の教科書に載っている練習問題は所詮、他人事である。自分で解きたい問題があれば、それに向かって学ぶ動機もあがるというものだ。

もちろん、統計の手法を身につけるだけでは不十分で、分析するデータが必要だ。そこで私は一日一曲、自分の好きな曲の韻をテキストファイルに落とし込む作業を開始した。KOHEI JAPANの「一日一歩　進めばいい方」（『Go to Work』）という歌詞を胸に秘めながら。そして3ヶ月ほどして、100曲分の韻がたまったと思ったとき、私は日本語ラップの韻における子音の組み合わされやすさを集計・分析した。残念ながら、100曲だと思っていたら、ミスがあって98曲になってしまったのは心苦しいが、まぁ、誤差の範囲だ（この曲のリストに興味がある人は、参考文献のKawahara（2007）を参照）。



## 似ている子音ほど韻を踏む

図1

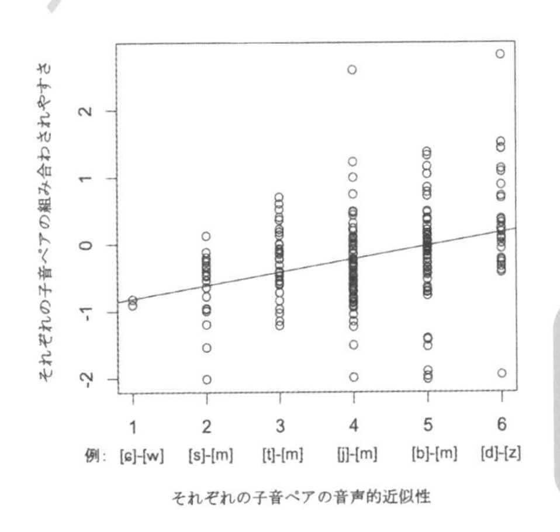


大学院時代の私がたどり着いた結果。それぞれの点が子音のペアを示している。横軸は、子音の近似性、縦軸は韻での組み合わされやすさ。

この分析の結果浮かびあがってきたことは、**①日本語ラップにおいて、音声学的に似た子音ほど韻で組み合わされやす**

**い、②「音声学的に似た」という尺度は、おそらく知覚的なものである**、ということだ。②に関しては少し複雑になるので、詳細は第3章を参照してほしい。①について簡単に説明すると、図1において、横軸は「それぞれの子音ペアの近似性」を表している。これは例えば「口のどこで発音するか」や「声帯が振動するか」などを基準に計算したもので、右に行けば行くほど、似た子音のペアである。

縦軸は、「韻においての組み合わされやすさ」である。これらの尺度の定義が気になる人は、やはり第3章で詳しく解説する。ともあれ、図1で示されているように、子音のペアの近似性と韻の組み合わされやすさには正の相関が観察される。



## 結果のお披露目、進撃開始

当時の私は、この結果を勝手にウェブ連載することにした。もちろん出版社のサイトでおこなう正式な連載などではなく、自分でhtmlで書いたものを逐次更新して、ウェブサイトに載せただけだったが。タイトルは『音韻的ラップの世界』。もちろん、敬愛するBUDDHA BRANDのアルバム『病める無限のブッダの世界 ～BEST OF THE BEST（金字塔）～』のオマージュである。この連載、多少の編集を加えて本書にも収録してある（⇒第3章）。若さあふれる川原繁人の文体をじっくり味わってほしい。

私は、この結果に自信を持って、アメリカ言語学会で発表した。割と大きな部屋だったにもかかわらず立ち見がでた。発表時に、「僕がラップしてもいいんですけど、みなさんもちゃんとしたものを聴きたいでしょうから、曲持ってきました〜」的なアメリカンジョークで笑いもとった。英語での発表だったから、『Rapper's Delight』に現れるstop vs. rockのような韻と比較しながら、日本語ラップの韻における子音の役割を存分に論じた。その部屋には、他の発表に対してとても厳しいコメントをする先生がいたのだが、その人が「本当に面白かった」と褒めてくれたのが良い思い出だ。後で聴くところによると、Ilse Lehisteという大御所先生だった。また、他の研究者からは「君の大学院では、あんな研究が許されるの？」という訝(いぶか)しげなコメントも頂いたが、これも褒めことばとして受け取った。そう、知らず知らずのうちに、私は自分にしかできない研究を確立していたのだ。また、この発表を聴いてくれた先生たちから誘いを受けてMITやハーバードなどの名門大学でも学部生相手に講演することになった。学部生相手に言語学という学問に興味を持ってもらうためにはピッタリな題材だという評価を頂いたのだ。

そして、この研究は厳正なる審査を経たのち、2007年に学術雑誌に掲載されることになり、さらには博士論文の一部となった。その後、無事に教員になった後も、アメリカ・日本問わず、様々な大学や講演会で、この内容を発表することとなった。

## 字余りするとしたらどんな母音？

実は博士論文に載った日本語ラップの分析は子音に関するものだけではない。そう、学部生のときの発表で扱った字余りに関する分析も報告している。字余りに関してどんな観察があったのか以下の具体例から考えてみよう：

何が無駄で何が大切か [a i e u a]
やっぱこれが真の解決策 [a i e u a u]

（Zeebra／『証言』[20]より）

それらは日々[i i]
訪れる危機 [i i]
覆ることのない衝撃の事実 [i i u]

（LIBRO／『胎動』より）

ライミングちゅうとくか [u u o u a]
踏み込んだ組合員は注目株 [u u o u a u]

（OHYA／『揃い踏み』(韻踏合組合) より）

また昇っちゃあ　沈む陽が [i a]
また起こっちゃあ　いけない被害 [i a i]

（般若／『オレ達の大和』より）




20　LAMP EYE『証言 feat. RINO,YOU THE ROCK★, G.K.MARYAN, Zeebra, TWIGY, GAMA, DEV LARGE』

何かお気づきではないだろうか？　そう、字余りで許される母音は、ほとんどの場合「い」か「う」なのである[21]。子音の使い方に関してもそうだったが、これも音声学的に考えて非常に理にかなっている。まず、「あ」「い」「あ」「い」「あ」「い」とくり返して発音してみてほしい。「あ」で口が大きく開き、「い」で口が狭くなるだろう。同様に、「あ」「う」「あ」「う」「あ」「う」とくり返してほしい。「い」と同様に、「う」で口が狭くなると思う。そう、「い」や「う」では、口が狭くなって発音される。その分、声のエネルギーが口の中に留まるため、「い」や「う」は音響的に静かな母音なのだ。また、母音の長さを比べてみても、「あ」は口を大きく開けるのに時間がかかるため、長い。逆に、口をあまり開かなくてよい「い」や「う」は短い。つまり、「い」や「う」は「静か」でかつ「短い」母音なのである。また、これらの特徴に加えて、「い」や「う」は「無声化」といって声帯振動が起こらないことがある。例えば、「すき」と言った場合、「す」の母音部分はほとんど声帯振動が起こらず、音としてはほとんど聞こえない[22]。これらの要因に鑑みて「い」も「う」も存在感がない母音なのだ。

**21**　「が」や「で」などの接尾辞であれば他の母音も許される。これはこれで面白い観察なのだが、説明が難しくなるので、ここでは割愛する。ただし接尾辞の中でも「い」と「う」は、特に字余りになりやすい。

**22**　関西方言では無声化が起こらないこともある。後述の『アフター6ジャンクション』に出演した際、字余り分析の報告をしたところ、篠原梨菜アナウンサーから「無声化が起こらない関西方言のラップでは、字余りは起こりにくいんですか？」との質問が来た。これは、じっくり研究する価値のある疑問だ。例えば、東京出身のRHYMESTERと関西出身の韻踏合組合の字余りの分布を比較してみたら、面白い結果が出てくるかもしれない。

字余りをするのであれば、存在感がない母音を選ぶ。そうすれば、あまり字余りしているように聞こえない。これも音声学的な観点からは納得の手法である。

ただし、「い」と「う」が字余りになりやすい、と言っても考慮しなければいけない問題がある。ただ単に、小節末にこれらの母音が来やすいだけかもしれない。もし、「あ」「え」「お」が小節末に起こる確率がもともと低いのであれば、字余りになりにくいのも当たり前である。この可能性を排除するために、40曲ほどの曲における小節末の母音の分布を確かめ、その分布だけからでは、字余りの分布を説明できないことを示した。やはり「い」や「う」には特別な何かがあることが示せたのだ。





## わらしべ物語が始まる

博士論文でこれらの分析を終えてからは、日本語ラップの分析からは遠ざかっていた。質的にこれらを超えるような分析をおこなう自信がなかったというのが正直なところだ。

しかし、2017年に事態はまた動き出すことになる。しかも、自分が予測もしなかったようなスケールで。まず、日本語ラップの世界での第一人者とも言えるZeebraさんが、私の勤務する慶應義塾大学で授業を担当することになった。授業の打ち合わせに慶應にいらっしゃったZeebraさんをお出迎えし、私は『真っ昼間』（彼のソロメジャーデビュー曲）のCDにサインをお願いした。そしてもちろん、私はこの授業に出席することにした。妻の仕事で私が娘の面倒を見る日に重なってしまったときには、メロンパンという賄賂を使って娘と一緒に授業に参加した。

Zeebraさんが授業で扱っていた内容には、色々と衝撃を受けた。例えば、Zeebraさんは、「韻は母音が基本だけれど、子音の響きも大事にしよう。特に濁音には注意」とおっしゃっていた。これはまさに、私の博士論文で示したことと一致するではないか。博士論文の執筆時には、ラッパーたちが意識的に子音を選んでいるのか、それとも無意識的にそのようなパターンが出現しているのかは明らかでなかった。しかし、Zeebraさんは、はっきりと子音の役割について論じていた。

また、私が学部生のときに発見した「韻の基本単位は、韻脚である2拍」という仮説に関しても、明確に「韻は2拍が基本」とおっしゃっていた。さらに、彼の「『あい』は母音が2つ並んでいるけど、1つの音節（≒1つの音のかたまり）をなすので、韻を踏むときには分けない方が良い」という発言には特に衝撃を受けた。言語学者でない日本人が「あい」を1つの音節として意識的に扱っていることがあるのだなと[23]。正直、私が言語学を学び始めたとき、日本語において「『あい』は1つの音節にまとまる」と教わっても「そんな感じはまったくしません」と納得できなかった。様々な言語現象を

**23** 日本語における厳密な音節の定義が気になる人は参考文献のKawahara（2016）または川原（2022b：第10話）を参照。

観察し、実験結果を見ていくうちに自分の中で納得した「あい＝1つの音節」という結論を、Zeebraさんは、さらっと、しかも意識的に感じている。この衝撃は、改めて日本語ラップに言語学的に向かい合いたくなった契機のひとつかもしれない。

そんなこんなで衝撃を受け続けた授業であったが、それだけで話は終わらなかった。Zeebraさんとの正式対談が実現し、そこで私は自分と日本語ラップとの関わりや授業で受けた衝撃に関して思う存分語らせてもらった。そして、この対談がきっかけで、ラップバトルの番組『フリースタイルダンジョン（FSD）』（テレビ朝日、2015〜20年）でゲスト審査員を務めさせてもらった。もちろん、私は韻にこだわった審査をし、何個の母音の韻が何回くり返されているかなどを数えながら審査をさせてもらった。

©テレビ朝日

そのシーンはネットでも話題になったとかならなかったとか。あとやっぱり「正体不明のインテリ野郎に審査させるな」的なネガティブなコメントもあったから、「YouTubeのコメント欄を見るときには要注意」という大事な教訓も得た。

FSDの出演はやはりインパクトが大きく、5年経った今でも授業の履修動機に「FSDで見かけたから」という学生がいる。また、このご縁で、『KダブシャインのHIPHOPカレッジ』（ひかりTV、2018年度）にも出演し、私の言語学的分析を存分に披露させてもらった。このとき「韻には子音も関わっていそうだ」と伝えたところ、メインMCであったKダブさんは「自分が韻を考えるときにも、なんとなく感じていたけど、言語化できなかった」とおっしゃっていた。

実は、このKダブさんのことばも、後の私の研究姿勢に大きな影響を与えることになる。具体的に言えば、「声のプロたちがやっていることを明確に言語化する」ということを言語学の意義のひとつとして意識するようになったのである。そのおかげで、声優や歌手、アナウンサーたちとまでコラボすることになった。本書でそれらについて語る余裕はないのが残念だ。

さて、同じ分析の話を何度も披露するのも恐縮だが、2021年には宇多丸さん――Zeebraさんやkダブさんに勝るとも劣らない経歴を持ったラッパーである――のラジオ『アフター6ジャンクション』（TBSラジオ）にも出演することとなった。ディレクターは私にはポケモン言語学の話をしてほしかったのだが、私が宇多丸さんのラジオに出演してラップの話をしないのもおかしいだろう。打ち合わせの結果、宇多丸さんも同意してくれ、前半はポケモン言語学、後半はラップ分析、ということで落ち着いた。私の韻の分析に関して、はじめは「ふんふん」と聞き手に回ってくれていた宇多丸さんだったが、こちらから「宇多丸さんは、子音の選び方に関して、どれくらい意識しているんですか？」とお尋ねしたところ、「よくぞ聞いてくれました。私は子音を選ぶ基準がすごく厳しいです。私は子音変態です」ということばまで引き出した。この発言を引き出したことは、私の中で誇りである。

また少し時は流れ2022年の2月、コロナ禍の第6波のおり、私はストレス解消のために本を書いていた。私はストレスに晒されると、仕事に逃げる傾向にある、というのは妻の指摘である。褒め殺しを得意とする編集者のおかげで、私は5月に『フリースタイル言語学』（大和書房）を出版、その中では私のラップ分析も取り上げていた。Zeebraさんに帯の推薦文を書いてもらったこともあり、出版記念としてWREPというヒップホップ専門ラジオの番組である「第三研究室」に呼ばれた。何度目になるか分からないが、今度は、Zeebraさんと Mummy-Dさん2人相手に自分のラップ分析について語らせてもらった。

Zeebraさんとは何度か顔を合わせていたが、Mummy-Dさんとは初対面。しかも、Mummy-Dさんと言えば、かの「**ケッとばせ[kettobase]**」と「**Get Money[gettomane]**」という言語学的に奇跡とも言える韻を作り出したラッパーだ。ラジオ局のエレベーターで偶然一緒になり、「もしかしたら、Dさんですか？」とお声がけしたところ、素敵な笑顔で「『フリースタイル言語学』読んだよ〜、言語学って楽しいね」と褒めてくださった。恐縮です!!

## Mummy-Dさんから授かった称号とは

収録前後のおしゃべりも含め、Dさんは私のフェチっぷりを気にいってくれ、その後別の機会で対談する機会も頂き、授業にも来てもらった。Dさんと語り合った内容は多岐にわたったが、前述の字余りに関する議論がたまらなかった。Dさんはあまり字余りを許さないのだが、許すとしても特別な「う」だけであるという印象があった。例えば、「DJブース」と「プレイ中」の韻（『HIP HOP GENTLEMEN』[24]）では、「**ブース**」の最後の[**u**]が余っている。しかし、この[u]は無声化して聞こえなくなっているし、「ブース」を英語のboothだと考えれば、そもそもこの母音はないと考えてもよいだろう。もうひとつの例は「**眩んで**」と「**膨らんでる**」（『HIP HOP GENTLEMEN 2』[25]）で、後者の[**u**]が余っているが、「る」というのは現在形を表す接尾辞だから意味的にそこまで重要な音でない。「う」の中でも「特に存在感が薄いもの」だけ字余りを許すのではないか？

この仮説をDさんにぶつけてみたところ、「これらの『う』って、ほとんど発音してないよね？　だから字余りでも良いんじゃないの？」とのコメントを頂いた。やはり私は間違っていなかった。Mummy-Dさんは、一般人であれば言語学を学んでなければ気づかないような日本語の音声の細か

24　DJ MASTERKEY『HIP HOP GENTLEMEN feat. Mummy-D, 山田マン, BAMBOO』
25　DJ MASTERKEY『HIP HOP GENTLEMEN 2 feat. Mummy-D, 山田マン, MINESIN-HOLD』

いところにまで注意を払って韻を踏んでいる。私の「日本語ラッパーたちは、鋭い言語感性の持ち主たちである」という仮説はやはり正しかったのだ。少なくともZeebraさん、Kダブさん、宇多丸さん、Dさんクラスの人々は、日本語の音声特徴の細部にまで気を配って韻を踏んでいたのだ。

ひとしきり私のラップへの愛を語った後、私はDさんから「口腔内発音系ド変態」という輝かしい称号を頂いた。憧れのMummy-Dさんからそのような称号を頂けるとは最高の栄誉である。『DA.YO.NE』を聴いていた高校生の自分に知らせてあげたいものだ。「お前は『DA.YO.NE』の作詞を担当したラッパーから素敵な称号を頂くことになるのだぞ」と。

Mummy-Dさんの特別授業の後に記念撮影。口腔内発音系ド変態という称号を得る。

そして読者様はすでにお気づきだと思うが、なんと本書にはMummy-Dさんが共著者として名を連ねている。はじめはインタビューをお願いしただけだったが、Dさんと同じ作品に著者として名を連ねられるチャンスなど、人生で二度とこないかもしれない。おそるおそる共著者としての参加をお願いしたときには、ドキドキがとまらず、携帯を30秒に一度チェックしていた。まるで人生で初めて女の子に告白したときのような感覚である。

しかし、こちらの緊張は何だったのかというくらい、あっさりと返事はYES。それだけでなく、「曲を作ってプロモーションツールにするとかもありかもよー！」というメッセージまで添えられていた。言語学をテーマにしたラップを作ってもらえる……!!! 残念ながら、私はこのオファーを受け取ったときの喜びと興奮を表現する語彙を持ち合わせていない。このDさんからのメッセージはスクショして、いつでも見返せるように保存していることは言うまでもない。

そして、実際の録音に立ち会ったときの感動を表現することも、私の能力を大きく超えている。今までの人生、完成された作品を味わい、それを言語学というマニアックな視点から分析することは続けてきた。しかし、その作品が作られる過程を目の当たりにした経験は、まるで高級レストランの厨房に招かれたかのような感覚であった。収録は、すでに書かれた歌詞を歌うだけのものではなかった。その場の雰囲気や仲間との掛け合いから浮かびあがる閃きをもとにアドリブを紡ぎあげていき、声だけでなく全身を使って表現する。ラップとはそういう音楽だと頭では分かってはいたものの（⇒第5章）、それを直に体験したことは、まるで頭をガツンと殴られたような衝撃であった。

さらに録音中にDさんは、TKさんに対して「『く』というよりも[k]のような感じで」とアドバイスをしていた。そう、それはまさに——言語学者の目線からは——「『く』の母音の無声化を意識して」というアドバイスと等価である。またTKさんの歌詞では無声化した[i]や現在形の接尾辞の[u]が字余りを起こしている。私が本書で論じている現象が、まさに目の前で展開されている!!　そんなラップを生の現場で言語学的に分析できる喜びに興奮するド変態な私を、その場に居合わせたラッパーたちは温かい目で見守ってくれた。

こんな感動はそんな簡単に味わえるものではないだろう。「言語学者になってよかった」、心からそう思えた。

唯一の心残りは、この収録は本書がほぼ完成したあとにおこなわれたということだ。Dさんの「今何を伝える？」というメッセージは、私に直接向けられたものではないが、その場に居合わせた私にも痛烈に突き刺さった。この思いを本書のごく一部にしか反映できないのは、少し残念でもある。しかし、このことばは私の今後の執筆活動において、常にそばにいてくれるだろう。

## 祭りのあとに

本書を書き終えた今、こんな夢想をしている。「もしタイムマシーンがあったら、どの時代に戻ろうか？」。友人たちと無邪気に日本語ラップを聴いていた中学生時代だろうか。本当の意味で日本語ラップに出会い、その韻を分析し始めた大学生時代だろうか。それとも、アメリカで世界中から集まった優秀な頭脳たちに囲まれて、自分の個性を発揮できずに悩んでいた大学院時代だろうか。その悩みを乗り越えるために、日本語ラップの韻の分析というプロジェクトを思いつき、毎日、韻における子音の組み合わせをテキストファイルに落とし込んでいたあの頃だろうか。はたまた、コロナ禍初期に自分の無力さに絶望しつつ、日本語ラップを授業の教材に使ってみては、と試行錯誤していたあのときであろうか。そんな自分に会って伝えたい。

「お前は将来、素晴らしいアーティストたちに囲まれて、本を出版することになるだろう。そして、プロのラッパーたちに言語学をテーマとしたラップを作ってもらうことになるだろう。」

いや、タイムマシーンがあっても、そんな無粋なことはしないだろう。人生は何があるか分からないから楽しいのだ。それに過去の努力は、こんな夢のようなことを目指してやっていたわけではない。一つひとつの努力の積み重ねが――まるで大きな意思に導かれるかのように――このような結果につながったのだ。

努力は報われる。今回だけは、この陳腐とも捉えられかねない表現を使っても許される気がする。

私はこれまで多くの言語学入門の書籍を出版し、世に言語学の魅力を伝えようとしてきた。しかし、今回は、ただの「新たなもう一冊」ではなく、「特別な一冊」となることを確信している。心から尊敬するラッパーたちを客演として迎え、彼らからの生の声を収録できた。それだけでなく、『言語学的ラップの世界』という楽曲には、ラッパーの声を通して、本書で論じてきた数々の現象とメッセージが込められている。そう、私はラッパーたちをして「言語学とは何か」を語らしめたのである。そんな本書と楽曲は、言語学という世界に風穴を開けることになるだろう。

読者の方々におかれましては本書を読み終わったあと、ぜひとも一度曲をじっくりと聴いてみてほしい。本書の内容と歌詞がどのようにリンクしているのか。そんな謎解きが楽しめる仕掛けになっている。この曲を聴いて――そして、この本を読んで――読者のみなさまは何を感じるだろうか？

あえて言おう、これから始まる物語は言語学者による日本語ラップの「証言」である。そして本書のために作られた楽曲は、ラッパーたちによる言語学の「証言」である。

## 言語学的ラップの世界

Mummy-D・晋平太・TKda黒ぶち・しあ
Beats by DJ MITSU THE BEATS

大きく息を吸って(yeah)
そして吐き出す(ho)
喉が生む副産物(yeah)
それが声さ(ho)
舌と歯と上顎と(yeah)
そして唇(ho)
全て駆使して君は(yeah)
何を伝える?

お待ちかね　お待ちかね
やまとことばに　バネ
時と場所は選ばねぇ
逆境しかバネにならねぇ
学校以外でも学べ
言葉の種から芽生え
腹空かしたやつらへ
誰がため鳴らす鐘
ガラス張りなら蹴破れ
カラスばりにストリート
フェアプレー

カラダのカラクリこねくり回し
カラカラなるまでこの声枯らし
変幻自在　音の形
人々の源　言葉たち

言語を知ってまた人を知る
原料　刺身やお味噌汁
新しい世界に気分上々
身近にある不思議　音象徴

偶然と運命のおかげ
言語の交差点
BlockとBlock繋いでく
LEGOのようだぜ
並べるだけなら　行き止まり気味
道の先に見る　意味とか響き
歩んだ人生　この口で描ける
言葉見定める　黒ぶちのメガネ
イズム授かった　日本のB
自分を誇り残してく
フィロソフィー

息を吸って　そして吐き出す
刹那に拡がる小宇宙
それが言語学的ラップの世界
(言語学的ラップの世界)
韻を踏んで　言霊吐き出す
動物たちの小宇宙
そこは言語学的ラップの世界
(言語学的ラップの世界)

愛が合うだろ　会えじゃなく会おう
コトタマ　コトダマ　森羅万象
そうさ限度なく　縁を繋ぐ
言語学のセントラルは
円を成すを蹴っ飛ばす
ENDなく円を描く
厳選していく　窓の杜
魔法のように自由自在な
発想元にRAP
制約で羽ばたく　箱の鳥
飛び立ってく“言の葉の誠の道”

言葉と言葉がビート上で
繋がり合い
蹴っ飛ばすバース
一瞬全て賭ける期待
刀いらないあなたと語りたい!
肩慣らしなしで重ねてく
マイライフ!
隠したいことを曝け出すときも
あるけどその分軽くなってく心
悲しみも喜びも糧になる
過去の自分を超えてく過程リアル

ウキウキするが　向き不向きある
ブ　ブッ壊す　フツーの枠
武器になる　また勇気になる
気になることを
みなに言う気になる
またムキになる　また空気になる

常にオリジナル　光る　to be real
YO　ズルズル引きずる　puzzle
ズルなしで　綴る　TRUE

息を吸って　そして吐き出す
刹那に拡がる小宇宙
それが言語学的ラップの世界
（言語学的ラップの世界）
韻を踏んで　言霊吐き出す
動物たちの小宇宙
そこは言語学的ラップの世界
（言語学的ラップの世界）

人間社会の面白みの1個
音が飛び交い合うファンタジー
（探そう　探しに行こう）
自然な感覚で
選び取ってく不思議と
ご機嫌麗しい言葉たち
（紡ごう　繋ごう　Here we go）

吸って吸って　吐いて吐いて
日は昇りまた　折返し地点
聞いて聞いて　言って言って
YO　続いてくぜ　人生

言葉の絵の具　自由帳に表現
ブロンクスから今　地球上に共鳴
学と出会い　心描く　今日現在
言語学的ラップの世界

大きく息を吸って（yeah）
そして吐き出す（ho）
喉が生む副産物（yeah）
それが声さ（ho）
舌と歯と上顎と（yeah）
そして唇（ho）
全て駆使して君は（yeah）
何を伝える？
さあ大きく息を吸って（yeah）
そして吐き出す（ho）
喉が生む副産物（yeah）
それがラップさ（ho）
ヴォイスとライムとフロウと（yeah）
リズムとイズム（ho）
全て駆使して君は（yeah）
今何を伝える？（what?）
何を伝える？

言語学的ラップの世界
そこには限界はない
そこには正解はない
言語学的ラップの世界
言語学的ラップの世界
天文学的数字の言葉の中から
運命的出会い

本章は、2006年に自分のラップ分析を勝手にウェブ連載した『音韻的ラップの世界』を編集したものだ。この文章は、私がラップの韻の分析をおこなっている最中に書いたもので、あのときでなければ絶対に書けなかったものだと思う。加筆・修正した部分もあるが、基本は当時の雰囲気をそのままでお届けした。若くて怖いもの知らずで、勢いだけはあった当時の川原繁人の文体をお楽しみいただければ幸いだ。

# 第3章 エピソード0：言語学者、日本語ラップの韻を分析する（'06）





## イントロ

まず結論2つを先取りして言っちゃいます。そのほうが流れが掴みやすいと思いますので。簡単に言って：

（1）日本語のラップの韻において、
似ている子音ほど韻を踏みやすい

（2）また、その「似ている」という概念は、
音声学的に見て、驚くほど理に適っている

という2点です。あまりぴんと来なくても心配しないでください（特に(2)）。なんとなく雰囲気だけ掴んでくだされば、下でゆっくり説明していきます。

さて、日本語のラップについてお話ししますので、まず日本語ラップの韻がどういうものかを説明したいと思います。日本語の韻は、基本的に「子音を無視して母音を合わせる」というのが定説になっています。例えば、『8面』（I-DeA feat. PRIMAL）に出てくる韻を引用しますと：

> **変質者か逃避者**
> **合理化**
> **に酔うには**
> **hold me tight**

分かりやすいように、ローマ字にしましょう：

> **henshitsusha ka toohisha**
> **goorika**
> **niyoo ni wa**
> **hoomita(i)**

最後から見て3つの母音（[**o**…**i**…**a**]）が一致していますね。それに対して、子音は一致していない。この例が示すように、日本語ラップの基本は「子音は無視しつつ、複数の母音を合わせること」と言われていますし、実際こういうルールをネットでもよく見かけます。私も日本語ラップを研究し出した頃はそう思っていました。でも、色々な曲を聴いているうちに、もっと面白い特徴があるんじゃないかと、気づいたんです。

## 似ている子音ほど韻を踏む？

日本語のラップを毎日聴いていてふと思ったことがありました。子音は無視されるというけど、似ている音ほど韻を踏みやすいんじゃない？　こう思ったきっかけのひとつは、ラッパーたちはよく、同音異義語を使うんです。例えば、DELIの『チカチカサーキット[1]』からの例を引用しますと：

> **チカチカサーキット** [saakitto]
> **出たトコ勝負さあきっと** [saakitto]

同じくAI feat. DELIの『365』という曲にこんな韻が出てきます：

> **たかだか** [takadaka]
> **あんぐらいでハナタカダカ** [takadaka]

1　DELI, MACKA-CHIN, MIKRIS『チカチカサーキット feat. KASHI DA HANDSOME and GORE-TEX』

こういう子音も母音も一致している例っていっぱい出てくるんですよ。韻全体が完全に同音にならなくても、最後の部分が一致している例も多いです。例えば、I-DeA feat. FLICKの『やまびこ44号』の中の：

> **駅弁3つ買って**
> **何だそんなやけに気使って**

という韻は[**mittsukatte**]-[**kiitsukatte**]となっていて、最後の「つかって」の部分が完全に一致していますよね。

こういう例が多いならば、「子音は完全に無視される」っていうのは、言いすぎなんじゃないか？という疑念が湧いてきたわけです。そう思ってもう少し注意深く歌詞を聴いていると、「似ている子音同士が韻を踏みやすい」ことに気がついたんです。例えば、般若の『カメラ』から引用します：

> **カメラ　仕掛けたのは誰か**
> **見ては見られる何の為だ**

[**dareka**]と[**tameda**]の韻に注目しましょう。音声学的に考えると、[d]と[t]ってすごく似ている音なんですね。まあ、「た」に濁点をつければ「だ」になりますから、なんとなく似ていることは伝わるんじゃないかと思いますが。それから、[r]と[m]も音声学の観点からは似ている音なんです。例えば、

どちらとも濁点をつけられませんよね？　どちらの音も、口や鼻から空気がよく流れる音です。そしてあとで詳しく説明しますが、[k]と[d]も両方とも阻害音という音で、このペアも似た音と考えられます。

KOHEI JAPANの『Go to Work』からもう1例：

> **残業どころじゃない努力**
> **続ければきっと誰かに届く**

[**dor$^j$oku**]と[**todoku**]で韻を踏んでいる。さっきの例と同じで、[d]と[t]はやっぱり音声学的に似た音です。[r$^j$]と[d]も実は似ている音で、アメリカ人の友人たちは、よく区別し間違えます。両方とも声帯を震わせながら舌先を使って発音する音です。最後の音は[k]で、完全に一致しています。

まあ、とにかくこんな風に、「似た子音は韻で対応しやすいのかも」と感じ始めました。大学院1年の頃なので、2003年あたりかな？　実はこの「似た音ほど韻を踏みやすい」という傾向は、他の言語の詩歌についても指摘されていたので（英語、ドイツ語、トルコ語、アイルランド語、ロシア語などなど）、日本語ラップでもそれが示せたらいいなーとはずっと思っていました。

次に、「似た子音同士が韻を踏みやすい」ことを具体的に感じてもらうために、例をいくつかあげます。太字と下線で示した子音を自分で発音しながら「似ているかも～」と感じてもらえれば良いかなと思います。

散る散る遠吠え [tooboe]
生きると思え [toomoe]

(般若/『遠吠え』より)

時も紳士的 [shinshite(ki)]
信じて [shinjite]

(山田マン/『HIP HOP GENTLEMEN』より)

ケッとばせ ケッとばせ [kettobase]
ケッとばした歌詞でGet Money [gettomane]

(Mummy-D/『MASTERMIND』より)

紙であり神 [kami]
奇妙なありがたみ [gatami]
世界を映し出すデカい鏡 [kagami]
をどうせなら敵よか味方に [katani]

(宇多丸/『現金に体を張れ』(RHYMESTER)より)

## コツコツデータを集める:一日一歩進めばいい方

ここで問題は、「似た子音は韻において対応しやすい」という仮説は、あくまで私の直感に基づいた印象で、「そうなんだよー」って叫んでも学問の世界では聞いてもらえません。「偶然でしょ？」と片付けられるのが落ちです。ならばどうするか。たーーーくさんデータを集めて、似たような音が対応している韻が本当に多いか調べればいいわけです。たくさんデータを集めて、その上で本当に似ている音が対応するケースが多かった場合、統計的にその関係を実証できるかもしれません。ですから、それを目指したわけです。

というわけで、98曲分の韻を全て、テキストファイルに書き込みました。一つひとつコツコツ、やっていったんですよ。KOHEI JAPANの「一日一歩進めばいい方」（『Go to Work』）というフレーズを常に頭に置きながら、コツコツと。このデータ集めが思ったより大変で、3ヶ月以上かかりました。おかげで何千組という韻が集まりました。これで、どんな頑固親父も数字で納得させる準備がととのったわけです。（余談ですが、つらいデータ集めのときには、こういう仮想頑固親父を想定して、そいつをうならせたいって考えながらやると、ちょっと作業が楽になったりします（笑））。

## O,E,O/E

それでは、結果を説明するための準備運動として、O、E、O/Eという概念を説明します。日本語で言うところの、観測値（Observed）、期待値（Expected）、観測値/期待値ですね。

これらの概念をすでに知っているという方は飛ばしてくださって結構です。それから、数学がどうしても苦手で、計算を見るのも嫌だという人も飛ばして平気です。O/Eが1より大きければ「思ったより多い」、1より小さければ「思ったより少ない」と解釈してくだされば結構です。ただ、言語学に関係なくても、統計を使った分析でたまに出てくる概念なので、理解しておいても損はないと思います。

私がここで問題にしているのは、A–Bというペアが、どれくらい相性がいいかということです。しかし、あるペアの相性がどの程度いいかを捉えるのは、思ったより単純なことではありません。もし、A–Bペアが100回出てきて、C–Dペアが30回出てきたとしたら、「AとBは相性がいい」と結論づけたくなるかもしれません。しかし、これらからだけでは、A–Bの組み合わせの相性がいいとは言えません。なぜなら、CもDも、もともと出てくる回数が少ないだけかもしれないからです。少ないもの同士を組み合わせれば、そのペアの数が少ないのも当たり前です。

例えば、「一日の間に昼ごはんを食べて、かつ、髪を洗う」確率はかなり高いでしょうが、「一日の間に法事に出て、かつ、道ばたで芸能人に出会う」確率はかなり低いでしょう。かといって、必ずしも「昼ごはんを食べる」ということと「髪を洗う」ということの相性がいいわけではありません。逆に「法事に出ること」と「芸能人に出会うこと」の相性が悪いわけでもありません。前者の場合は個々の事象の確率が高く、後者の場合は個々の事象の確率が低いだけです。

つまり、AとBの相性を測るためには、AとBが個々に出てくる確率を考えに入れなければいけないわけです。では具体的にどうすればいいのか考えてみましょう。すごく簡略化して、この世に3つの子音（[m], [b], [t]）しかなかったとします。次に、ラップの韻のデータを表1のような形にまとめます。C1は1個目の子音、C2は2個目の子音を表します。ですから、例えば、表1は[m]-[m]ペアは9回出てきたよー、[m]-[b]ペアは3回出てきたよー、[t]-[b]ペアは7回出てきたよーっていっているに過ぎません。（練習問題：[t]-[m]は何回出てきたでしょうか？）





| C1 \ C2 | [m] | [b] | [t] | 計 |
| --- | --- | --- | --- | --- |
| [m] | 9 | 3 | 6 | 18 |
| [b] | 2 | 2 | 9 | 13 |
| [t] | 8 | 7 | 8 | 23 |
| 計 | 19 | 12 | 23 | 54 |

**表1：観測された子音のペアの数（単純化した例）**

さて、C2に関係なく[m]がC1に出てくる確率は、いくつでしょう？　[m]がC1に出てくるのは、計の行を見ると、全部で18回ですね。全体で54ペアあるわけですから、[m]がC1に出てくる確率は、18/54です。では、[b]がC2に出てくる確率は、いくつでしょう？　同じように考えて、12/54ですね。ですから、単純に考えた場合、[m]がC1に現れて、かつ、[b]がC2に現れると期待される確率は、18/54×12/54になります。全体で54ペアありますから、[m]-[b]のペアがどれくらい出てくるかの予想値は、18/54×12/54×54となり、実際にかけ算をしますと、4.0になります。これが期待値（E）と呼ばれるものです。個々の要素（C1とC2）が出てくる頻度から期待される値だから「期待値」と呼ぶんですね。表2に表1から計算される期待値をまとめます。暇な人は練習も兼ねて確かめてみてください。

| C1 \ C2 | [m] | [b] | [t] | 計 |
|---|---|---|---|---|
| [m] | 6.3 | 4.0 | 7.7 | 18 |
| [b] | 4.6 | 2.9 | 5.5 | 13 |
| [t] | 8.1 | 5.1 | 9.8 | 23 |
| 計 | 19 | 12 | 23 | 54 |

表2：表1から計算された期待値

最後に、実際に観測された値を期待値によって相対化します。計算は簡単で、観測値をO（＝Observed）、期待値をE（＝Expected）として、O/Eの比率をとるだけです。O/Eが1なら、観測された値は期待とぴったり、1より低いと期待より出てきにくい（相性が悪い）、1より高いと期待より出てきやすい（相性がいい）ことになります。というわけで、これからラップの韻を考えるときには、O/Eを基本に考えていきます。

## 子音の「似ている度」を測るには：弁別素性という考え方

上のO/Eの説明がよく分からなかった人は、「O/Eは組み合わされやすさの尺度なんだな」くらいに理解してくれればOKです。くり返しになりますが、O/E＝1なら期待通り、O/E > 1なら期待以上、O/E < 1なら期待以下、です。ここで思い出していただきたいのは、今回のプロジェクトの狙いは「日本語のラップでは、似た子音ほど韻を踏まれやすい」ことを「数値を用いて」示すことです。「韻を踏まれやすい」の部分はO/Eで表すことができました。では「似た」の部分はどうやって表しましょう？

音を発音するときには、様々な「設定」が関わってきます。例えば、口の中のどの部分を使うか？　例えば、[p, m, b, w]は、唇を使って発音しますよね？　それに対して、[t, d, s, z]は舌先を使う。これは自分で実際に発音してみてもらうと感じられると思います。このように、「口の中のどこを使うか」は、音を定義する上で大事な要素のひとつです。

それから、「声帯が震えるか？　それとも震えないか？」も大事な要素です。[p, t, k, s]では声帯が震えませんが、[b, d, g, z]では声帯が震えます。こういったように、音には色々な発音に関する設定が関わっているんです。つまり、Xの音を発音するときには、Aの値を＋に、Bの値を＋に、Cの値を－に……Yの音を発音するときは、Aを－に、Bを＋に、Cを＋に……といった風に表せるわけです。このA,B,Cというような値を弁別素性（べんべつそせい）といいます。すると、以下のように音の特徴をまとめられます：

| | p | m | t |
|---|---|---|---|
| **唇を使う？** | + | + | - |
| **鼻から空気が流れる？** | - | + | - |
| **声帯は振動する？** | - | + | - |
| **……** | | | |

このように弁別素性というものを設けると、なにがいいかというと、音のペアX–Yがあったときに、どれだけ設定が同じかという尺度を用いて、どれだけ似ているかを（それなりに）表せるのです。もし、たくさんの弁別素性（設定）が同じ値であるなら、似ている音のペアと見做せます。逆に、同じ設定の値が少ないのなら、そのペアは似てないってことになりますよね。

## 相関関係をついに実証！

今回の分析では、以下の7つの弁別素性を使いました：**[±cons]（子音性）**、**[±son]（共鳴性）**、**[±nas]（鼻音性）**、**[±cont]（継続性）**、**[±voice]（有声性）**、**[±pal]（硬口蓋性）**、**[place]（調音点）**。これらが具体的に何を示すのかは下で説明します（詳しくは83ページのまとめも参照してください）。次のステップとして、全てのペアに対して、何個の弁別素性が同じであるかを数え、それを「どれくらい似ているか」の尺度にしました。さて、「どれくらい似ているか」と「どれだけ韻を踏みやすいか」の相関関係を図1に示します。

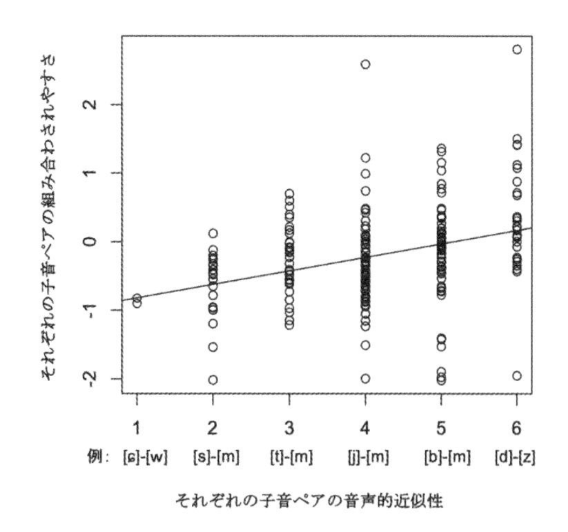


図1：「子音がどれくらい似ているか」（X軸）と
「韻においてどれくらい組み合わされやすいか」（Y軸）の相関関係



それぞれの白丸が子音のペアを表しています。X軸はどれだけ設定が同じか（＝どれだけ音として似ているか）です。例えば、一番左の[ɕ]（シャ行子音）と[w]は子音としてまったく似ていませんが、一番右の[d]と[z]はとても似ている子音です。右に行けば行くほど似た子音のペアになります。Y軸は（対数変換した）O/Eの値（＝どれだけ韻で組み合わされやすいか）です。X軸とY軸の関係を見ると、全体的に右上がりになっていますよね？　つまり、同じ設定の数が多ければ多いほど、O/Eが高い。これで、似ている音ほどよく韻を踏むことが実証されたわけです。ただし、学者っていうのは、概して頑固なもので、グラフだけでは納得しない人が多い。そこで統計という武器が出てくるわけですね。

統計って聞くだけで嫌になる人は、この段落をすっとばしてください（笑）。図1のグラフを見て、やっぱり気になるのは、相関係数ですね。X軸とY軸の相関がどれくらい高いかを表す値です。突出して高いO/Eの値がいくつかありまして、これが結果をゆがめそうだったので、ノンパラメトリックなスピアマン相関係数を使いました。この値は-1（完全な負の相関）から1（完全な正の相関）を取り、今回の結果は、0.34で、これは0.001レベルで有意です[2]。簡単にいって、似ている音ほどよく韻を踏みやすいという傾向が、統計的にも実証されたわけです。





## それぞれの弁別素性の振る舞い：硬口蓋性

図1で、全体的な傾向として、同じ値を持つ弁別素性の数が多ければ多いほど、ペアとして一緒に出てくる確率が上がることを示しました。では、一つひとつの弁別素性に対して、本当に韻を踏む確率に影響を与えるのか見ていきましょう。まずは一番分かりやすい例として、palatality（=[±pal]、硬口蓋性）を考えます。これは簡単に言って、小さい「ゃ、ゅ、ょ」

2　1分で学ぶ統計学入門。これは、「もしラッパーたちがランダムに子音を組み合わせていたら、図1の相関が出てくる確率は、0.001未満である」という意味です。この確率があまりに低すぎるので、「ラッパーたちがランダムに子音を組み合わせていたら」という前提が間違っている、つまり、「ラッパーたちはランダムに子音を組み合わせているわけではない」と結論づけられます。他の文脈で$p<0.001$という表現に出くわしたら、こういう論理が背後にあります。

がつくかどうかです。国語学の言葉を使うと、拗音(ようおん)ですね。予測としては、「きゃ」と「ちゃ」は両方[+pal]なので、ペアとして出てきやすい。それに対して、「きゃ」と「た」はペアとして出てきにくいはず。片方が[+pal]で、片方が[-pal]ですからね。それでは実際に見てみましょう。

| C1 \ C2 | [+pal] | [-pal] |
|---|---|---|
| [+pal]（例：きゃ、ちゃ） | O=185<br>O/E=2.76 | O=313<br>O/E=0.73 |
| [-pal]（例：か、た） | O=438<br>O/E=0.79 | O=3695<br>O/E=1.03 |

表3：硬口蓋性[±pal]の韻に与える効果





表3では、縦の列がペアの1個目の子音、横の列がペアの2個目の子音を表します。明らかなのは、[+pal]-[+pal]のペアが、O/Eが2.76となっており、期待される頻度の3倍近くの頻度で出てきているってことです。つまり、[+pal]-[+pal]というペアは、やっぱり日本語ラップの韻において予想以上に出てきやすいってことになります（注釈：まったく同一の子音のペアが多かったので、同一子音ペアはO/E=1の値で代入しています。よって、表3や下で示す表の値には、同一子音ペアの影響は含まれておりません）。

## 他の弁別素性も気になるよね

では他の弁別素性のパターンをいくつか見てみましょう：

| C1 \ C2 | [+son] | [-son] |
| --- | --- | --- |
| [+son]<br>(例:ま、ら、や) | O=375<br>O/E=1.66 | O=630<br>O/E=0.81 |
| [-son]<br>(例:た、か、さ) | O=666<br>O/E=0.82 | O=2960<br>O/E=1.05 |

**(a)** 共鳴性[±son]

| C1 \ C2 | [+cont] | [-cont] |
| --- | --- | --- |
| [+cont]<br>(例:さ、わ) | O=598<br>O/E=1.27 | O=804<br>O/E=0.86 |
| [-cont]<br>(例:た、ま) | O=781<br>O/E=0.86 | O=1928<br>O/E=1.07 |

**(b)** 継続性[±cont]

| C1 \ C2 | [+nas] | [-nas] |
| --- | --- | --- |
| [+nas]<br>(例:な、ま) | O=203<br>O/E=1.85 | O=541<br>O/E=0.85 |
| [-nas]<br>(例:た、ぱ) | O=480<br>O/E=0.84 | O=3413<br>O/E=1.03 |

**(C)** 鼻音性[±nas]

**表4:他の弁別素性の効果**

まず、一番上の表はsonorancy(=[±son]、共鳴性)といわれるもので、「共鳴音」と「阻害音」に音を分類します。具体的には「なまやらわ行(=[+son]、共鳴音)」と「かさたは行(=[-son]、阻害音)」を区別します。定義は、「鼻か口から空気がスムーズに流れているかどうか」です。流れていれば、[+son]の共鳴音、そうでなければ、[-son]の阻害音です。結果は美しいですね。やはり、共鳴音同士がたくさん出てきています。阻害音同士も期待値より少し多く出てきていますね。

次の弁別素性はcontinuancy（=[±cont]、継続性）。口の中で空気の流れが完全に止まる「かたなま行」（=[-cont]）とその他（=[+cont]）を区別します。簡略化して言うと、その音を発音し続けられるかってことです。「す」の子音部分の[s]だけを伸ばして[sssssss]とは発音し続けられますが、[tttttttt]とは、断続的にしか発音できませんもんね。ただし、ハミングのように[nnnnnnn]や[mmmmmm]は発音し続けられはするものの、口の中では空気が完全に止まるので、非継続的とされます。表4(b)を見ると、またもや結果は予想通りで、[cont]の値が一致している欄は、O/Eが1より高くなっています。



最後はnasality（=[±nas]、鼻音性）で、これは「なま行」と「その他」を区別します。この弁別素性は、鼻から空気が流れる音（=[+nas]、鼻音）と、そうでない音（=[-nas]）を区別します。やはり結果は思ったとおりです。鼻音同士は相性がいい。つまり、上で見た4つの弁別素性全てについて、予想通りの結果が出たことになります。弁別素性が一致する音ほど一緒に出てきやすい[3]。

## 特に興味深い有声性の結果

弁別素性についてあと2つお話ししましょう。ひとつ目は、

3 consonantal（=[±cons]、子音性）に関しても似たような傾向が観察されています。詳しくはKawahara（2007）をご参照ください。

[±voice]（有声性）。阻害音（「かさたは行」）を、濁点のつく音（=[+voice]）と濁点のつかない音（=[-voice]）に区別します。濁点がつく音は声帯が震えていて、逆に濁点がつかない音は声帯が震えません（半濁音も声帯は震えません）。

| C2 / C1 | [+voice] | [-voice] |
|---|---|---|
| [+voice]（例：ば、だ） | O=315 O/E=1.25 | O=477 O/E=0.88 |
| [-voice]（例：ぱ、た） | O=496 O/E=0.89 | O=1252 O/E=1.05 |

表5：阻害音における有声性[±voice]の効果

これまた予想通りですね。濁音は他の濁音と一緒に出てきやすい。さて、もっと面白いのは、[+son]の共鳴音と上のデータを比べたらどうなるか？　です。[±voice]は、「声帯が震えるかどうか」で定義されます。濁音は、声帯が震えます。また、共鳴音（なまやらわ行）も、基本的に声帯が震えます。ということは、[±voice]の弁別素性が一致しているので、予測としては濁音のほうが濁点のつかない音よりも共鳴音と一緒に出てきやすいってことになります。さて、結果は……：

| | 有声阻害音（[+voice]、濁音） | 無声阻害音（[-voice]） |
|---|---|---|
| 全頻度 | 2056 | 6258 |
| 共鳴音との共起頻度 | 599 | 903 |
| 割合 | 29.1% | 14.4% |

表6：共鳴音との共起パターン

1行目は全体で有声阻害音（濁音）と無声阻害音が何回出てきているか、2行目は共鳴音とどれだけの頻度で共起しているかを示します。全体的に見て、濁点がついていない無声阻害音（[-voice]）のほうが、頻度が高いことが見てとれますね。3行目は、出てきた音のうち、どれくらいが共鳴音と一緒に出てきたかを示しています。みごとに有声阻害音（濁音）のほうが無声阻害音よりも共鳴音と多く出てきていますね。この差は統計的にも、有意なものです（正規分布に近似して、z = 13.42, p<0.001）。

つまり、濁点を持つ有声阻害音は、濁点を持たない無声阻害音よりも共鳴音と組み合わされやすいのです。音声学的に考えれば、これは不思議なことじゃないんですね。なにせ、濁音も共鳴音も両方声帯が震えているわけですから。しかし、言語学をやっている人はココでびっくりするかもしれないです。なぜなら、「共鳴音の[+voice]は存在しない」という理論が有名だからです。どういうことかというと、共鳴音って声帯が振動するのが当たり前なんです。だから、わざわざ「声帯が振動する」って考えなくてもいいはずで、平仮名でも共鳴音には濁点をつけないんですね。共鳴音は声帯が振動しないから濁点がつかないのではなくて、振動するのが当たり前だから濁点がつかないんです。バスの終点で降りる人がわざわざブザーを鳴らさなくても、運転手さんが降ろしてくれることに似ています。降りないから鳴らさないんじゃなくて、降りることが当たり前だから鳴らさないんです。このように、共鳴音の声帯振動（＝当たり前に起こること）と阻害音の声帯振動（＝起こることが当たり前でないこと）は質的に異なると考える理由があるのです。でも、ラップの韻のパターンでは、有声阻害音のほうが無声阻害音よりも共鳴音と組み合わされやすい。

## 調音点に関しても驚きの結果が……

最後は調音点、つまり、どの器官を使って発音するかです。今回の分析では、調音点を4つに分別することにしました。labial（唇音）は唇を使う音。日本語では、[p]や[m]ですね。coronal（舌先音）は舌先を使う音。[t, n, r]などがこれにあたります。dorsal（舌背音）は舌の胴体を使う音。[k, g]ですね。最後はlaryngeal（喉頭音）で、喉の奥のほうで出す音で、[h]がこれにあたります。結果を表7にまとめます。

| C1 \ C2 | labial | cor-obs | cor-son | dorsal | laryngeal |
|---|---|---|---|---|---|
| labial（例:ま） | O=181 O/E=1.50 | O=213 O/E=0.76 | O=183 O/E=1.14 | O=152 O/E=0.88 | O=32 O/E=1.19 |
| cor-obs（例:た） | O=191 O/E=0.73 | O=816 O/E=1.34 | O=275 O/E=0.79 | O=310 O/E=0.83 | O=53 O/E=0.91 |
| cor-son（例:な） | O=178 O/E=1.13 | O=286 O/E=0.78 | O=352 O/E=1.68 | O=157 O/E=0.69 | O=24 O/E=0.68 |
| dorsal（例:か） | O=149 O/E=0.89 | O=335 O/E=0.86 | O=142 O/E=0.64 | O=390 O/E=1.62 | O=43 O/E=1.14 |
| laryngeal（例:は） | O=33 O/E=1.23 | O=61 O/E=0.97 | O=22 O/E=0.62 | O=41 O/E=1.07 | O=12 O/E=2.06 |

表7:調音点[place]の効果

「あれ？」と思うかもしれませんね。なんで、coronal obstruent（舌先阻害音）とcoronal sonorant（舌先共鳴音）が分けてあるの？　実は、「似ている度合い」を調音点で測る場合、自然言語（人工言語ではない人間の言語）ではこの2つのグループが分かれることが知られているんです。日本語でもそうなんです。アラビア語でもそうなんです。英語でもそうなんです。ロシア語でも……以下略。

ここでの衝撃の事実は、調音点が同じものはO/Eが高くなるという傾向が見てとれるだけでなくて、coronal obstruentとcoronal sonorantが別々のクラスになるってことです。上述の通り、この区別は言語学的によく見られることなんです。でも、それがラップのパターンでも観察された！　これはすごい事実だと思うんですよ。この驚きをもっとはっきりさせるために、表8を見てください。

| C1 \ C2 | labial | cor-obs | cor-son | dorsal | laryngeal |
|---|---|---|---|---|---|
| labial | O=43<br>O/E=0.22 | O=374<br>O/E=1.30 | O=312<br>O/E=1.19 | O=208<br>O/E=1.02 | O=0<br>O/E=0.00 |
| cor-obs | O=434<br>O/E=1.40 | O=247<br>O/E=0.53 | O=409<br>O/E=0.97 | O=445<br>O/E=1.35 | O=2<br>O/E=0.76 |
| cor-son | O=132<br>O/E=1.20 | O=182<br>O/E=1.10 | O=69<br>O/E=0.46 | O=164<br>O/E=1.40 | O=2<br>O/E=2.14 |
| dorsal | O=242<br>O/E=1.12 | O=389<br>O/E=1.20 | O=369<br>O/E=1.25 | O=66<br>O/E=0.29 | O=3<br>O/E=1.63 |
| laryngeal | O=33<br>O/E=0.60 | O=119<br>O/E=1.45 | O=59<br>O/E=0.79 | O=54<br>O/E=0.93 | O=0<br>O/E=0.00 |

表8:和語における隣同士の子音の分布

この表は、和語[4]における、隣合わせ同士の子音の出現頻度を表にしたものです。人間言語は、似たような子音が近くにあることを嫌がります。表7のラップのパターンとまったく逆です。対角線上のマスでO/Eが下がる。表7ではO/Eが高くなり、表8ではO/Eが低くなっていますが、O/Eが一定の方向に変化する場所は同じなんです。しかも、coronal obstruentとcoronal sonorantが分かれているという点で一致している。この一致を見れば、ラップを題材として言語を研究することが、あながちただの興味本位じゃないってことが分かってもらえるかと思います。日本語ラップは言語の仕組みを忠実に反映しているのです。

## ラッパーは響きも気にしている!?

以上、ラップの韻のパターンを弁別素性の観点から見てきましたが、さらに驚くべきことが明らかになりました。ラップのパターンは、どうやら音響学的な観点から考えてみても、納得できる側面がとても多いのです。つまりですよ、ラッパーたちは、意識的にせよ無意識的にせよ、「音響的な情報」を基に韻を踏んでいると言えそうなのです。先ほどの表6で見た濁音が無声阻害音よりも共鳴音と組み合わされやすいという傾向も、こう考える根拠のひとつになります。以下でさらなる3つの根拠を見ていきましょう。

4　漢語や外来語ではなく昔から日本語にある単語たち。大和言葉とも呼ぶ。

## 「ちゃ」と「きゃ」の響き

まずはですね、「ちゃ、ちゅ、ちょ(ch／$t^j$)」の音と、「きゃ、きゅ、きょ($k^j$)」の音を比べてみると、O/Eの値がとても高い（3.91）、という面白い事実が出てきました。これは驚くべきことで、音響的な観点から言うと、[ch]と[$k^j$]の音はとっても似かよっているのです。音響解析といって、音を可視化する技術があるのですが、この技術を使うと2つの音はとっても似ていることが分かります。事実、たくさんの言語で、[$k^j$] が[ch]に歴史的に変化しています。しかし、弁別素性の観点からは、この2つの音の近似性を十分に捉えられません。[ch]の音と[$k^j$]の音は5つの弁別素性で共通していますが、そのような他のペアのO/E値の平均は1.20ですから、違いがはっきりと分かると思います。これは驚きです。音響学的に似た2つの音が、とても高いO/Eを示している。もしかしたら、ラッパーたちは「響きが似た音」というものを、好んで韻に使っているのかもしれない。

## 鼻音の調音点は聞こえにくい

[m]と[n]は、同じ鼻音ですが、調音点が違います。同じように、[p]と[t]は同じ破裂音ですが、調音点が違います。しかし、[m]-[n]を区別する調音点は、[p]-[t]を区別する調音点よりもはっきり聞こえないといわれています。専門的で説

明が難しいのですが、[m]や[n]を発音するときには、鼻から空気が抜けることで、隣の母音が「ぼやけて」しまいます。しかし、調音点の知覚は、隣の母音も重要な手がかりになるので、結果として[m]-[n]の違いが聞こえにくくなってしまう。理屈はどうあれ、響きの観点から言うと、[m]-[n]のほうが、[p]-[t]よりもお互いに似ているというのは間違いないでしょう。

そこで、日本語ラップのパターンを見てみると、[m]-[n]のO/Eが1.41で、[p]-[t]のO/Eが1.09ですので、[m]-[n]のほうが知覚的に似ているという結果と整合性があります。またもや、ラップのパターンが知覚音響的な特性を反映しているわけですね。ここで驚きなのは、[m]-[n]の違いと[p]-[t]の違いは、どちらも同じように「調音点」で区別されるということです。言い方を変えれば、「発音上は、[m]-[n]も[p]-[t]も口のどこで発音するかにおいて異なるペア」なのです。しかし、ラッパーたちはもっと細かい区別を知っている。もっと詳しく言うと、響きの観点から考えると、[m]-[n]のほうが[p]-[t]より似ているということを知っている、という結論が得られる。

## 有声性も聞こえにくい

最後に、有声性（声帯が振動するかどうかの違い）の話をします。過去の知覚実験の結果から、「有声性の違い」は、他の弁別素性で区別される違いに比べて、知覚的に顕著ではない、という主張がなされてきました。つまり、[t]-[d]のような濁点のみで区別されているペアは、響きとしてかなり似ている。それに対して、[d]-[n]のような、鼻音性で区別されているペアは、よりはっきり違う。そこで、ラップの韻のパターンを見てみると：

有声性：[p]-[b](1.98), [t]-[d](2.04), [k]-[g](1.44), [s]-[z](3.07)
鼻音性：[m]-[b](1.30), [n]-[d](1.41)
継続性：[p]-[ɸ][5] (1.44), [t]-[s](1.01), [d]-[z](1.19)



またも、あたりですね。有声性で区別されるペアは、鼻音性や継続性で区別されるペアよりも高いO/Eを示しています。これは、有声性で区別されるペアが知覚的に似ているという過去の実験結果と整合性がある。つまり、有声性による区別が知覚的には強いものではないことを、ラッパーは知っている、という結論が得られます。

## アウトロ

さて、最後にまとめます。これまでの議論は何が重要なのでしょう？　まず理論的な貢献の話をひとつ。今まで、ずーーーっと、「似ている子音ほどよく韻を踏む」って言っ

5　[ɸ]は両唇で摩擦を作る「ファ・フィ・フ・フェ・フォ」の子音部分です。

てきましたが、ラッパーはどうして「似ている」って分かるんでしょう？　別に誰に教わったわけでもないし、どう考えても、「2つの音がどれだけ似ているかを無意識的に知っている」としか思えないんですね[6]。これは、「人間は音の知覚的近似性について詳細な知識を無意識的に持っている」という最近の言語学の知見と一致します。

さて、最後に話を大きく広げさせてもらうと、ラップの研究も、言語学の貢献につながることが示せたのなら良かったなーと思っています。上のようなパターンをラッパーが意識しているとは考えにくく、彼らの無意識な言語学的知識がこういうパターンを生み出したと考えるほうが自然だと思います。つまり、ラップの分析を通して、人間の無意識的な知覚パターンが見えてくる。言語学というのは、我々の無意識的な言語の知識を解明しようとするものですが、ラップの分析を通して、まったく同じことができるわけです。

最後に全てのまとめとして、Kiparsky (1973：233)[7]から今回の研究結果を端的に表している箇所を引用して、この場を閉じたいと思います。

> ……a good number of what we think of as traditional and arbitrary conventions [著者注：of verbal arts] are anchored





6　2023年現在の観点から振り返ると、この推測は間違いでした。ZeebraさんもKダブさんも宇多丸さんもMummy-Dさんも、子音の響きを「意識して」韻を踏んでらっしゃると証言してくださいました。

7　Kiparsky, P.(1973) The role of linguistics in a theory of poetry. Daedalus 102(3):231-244 in grammatical form, and seem to be, at bottom, a consequence of how language itself is structured.

川原意訳：伝統的かつ恣意的であると思われている言語芸術の慣習の多くは、実は言語の仕組みに深く根ざしており、つまるところ、言語構造から生み出される結果のように思われる。

## 韻の分析に用いられた子音に関する弁別素性

※①～⑥の+と−は、○○性が「ある(+)」、「ない(−)」を示す。また、「p(ぱ)」など、(　)内の平仮名は、日本語における音の例。下表の場合、「p」の音が含まれる音の例として「ぱ」を挙げている。

| ①子音性[±cons] | ②共鳴性[±son] | ③鼻音性[±nas] | ④継続性[±cont] | ⑤有声性[±voice] | ⑥硬口蓋性[±pal] | ⑦調音点[place] | | | |
|---|---|---|---|---|---|---|---|---|---|
| | | | | | | 両唇を使って発音する(lab) | 舌先を使って発音する(cor) | 舌の胴体を使って発音する(dor) | 喉頭付近で発音する(laryngeal) |
| + | − | − | − | − | −<br>+ | p(ぱ)<br>$p^j$(ぴゃ) | t(た)<br>$t^j$(ちゃ) | k(か)<br>$k^j$(きゃ) | |
| + | − | − | − | + | −<br>+ | b(ば)<br>$b^j$(びゃ) | d(だ) | g(が)<br>$g^j$(ぎゃ) | |
| + | − | − | + | − | −<br>+ | ɸ(ふ) | s(さ)<br>$s^j$(しゃ) | | h(は)<br>$h^j$(ひゃ) |
| + | − | − | + | + | −<br>+ | | z(ざ)<br>$z^j$(じゃ、ぢゃ) | | |
| + | + | + | − | + | −<br>+ | m(ま)<br>$m^j$(みゃ) | n(な)<br>$n^j$(にゃ) | | |
| + | + | − | + | + | −<br>+ | | r(ら)<br>$r^j$(りゃ) | | |
| − | + | − | + | + | −<br>+ | w(わ) | j(や) | | |

①子音性[±consonantal]：声道で母音とさほど変わらない狭めしか起こらない子音[-cons](やわ行)とその他の子音[+cons]を区別する。

②共鳴性[±sonorant]：口または鼻から空気がスムーズに流れている子音[+son](共鳴音／なまやらわ行)とそうでない子音[-son](阻害音／かさたは行)を区別する。

③鼻音性[±nasal]：鼻から空気が流れる子音[+nas](鼻音／なま行)とそうでない子音[-nas](その他)を区別する。

④継続性[±continuant]：口の中で空気の流れが完全に止まる子音[-cont](かたなま行など)とそうでない子音[+cont](さわ行など)を区別する。

⑤有声性[±voice]：声帯が震える子音[+voice](ばだ行など)と声帯が震えない子音[-voice](ぱた行など)を区別する。

⑥硬口蓋性[±palatal]：硬口蓋での狭めを伴うか。小さい「ゃ」「ゅ」「ょ」がつく子音[+pal](「きゃ」「ちゃ」など)とそうでない子音[-pal](「か」「た」など)を区別する。

⑦調音点[place]：どの器官を使って発音するか。日本語ラップの分析では、唇を使うlabial(唇音／[p, m])、舌先を使うcoronal(舌先音／[t, n, r]など)、舌の胴体を使うdorsal(舌背音／[k, g])、喉の奥のほうで出すlaryngeal(喉頭音／[h])の4つに分類した。

# 言語学的ラップの世界

第4章

講義1

# レジェンドラッパーたちを大学の授業に招く

## 2019年「もえもえきゅんの条約」

突然だが2019年の年末、私はとある芸能人たち（ロンブーの淳さんと最上もがさん）と、メイド喫茶で「もえもえきゅん」していた。より正確に言うと「もえもえきゅん」しながら「みっくすじゅーちゅ」におまじないをかけていた。しかも、給仕してくれていたのは伝説のメイドhitomi様……。

残念ながら、プライベートではない。学術論文の内容を世に分かりやすく伝えるNHK番組『ろんぶ〜ん』(2018〜19年度) のロケである。メイド喫茶と学術論文がどうつながるのか混乱されている読者は、私の前著『フリースタイル言語学』を参照してほしい。ともあれ、無事にロケが終わると、私がラップ分析をしていることを知っていたディレクターさんにこう言われた。

「僕、晋平太さんとも仕事していて結構仲が良いんですよ。今度3人で飲みましょう!」

晋平太さんといえば、バトルでも名を馳せている有名ラッパーである。私は、時々ファスティングしてデトックスに精を出さないと体調を崩してしまう虚弱体質だから、お酒は飲めない。しかも午後にカフェインを摂取すれば、徹夜が確定する。それでも、ノンカフェインハーブティーで晋平太さんと出会うのを楽しみにしていた。しかし、このメイド喫茶でのロケが私の人生の転換期となるとは、もえもえきゅんしていた頃の私は知るよしもなかった。

## コロナ禍が始まり、どん底まで落ち込む

晋平太さんとの顔合わせは、なかなか現実のものにならなかった。なぜなら2020年には、そう、コロナ禍が始まってしまったからだ。

コロナ禍が日本中いや世界中に大きな混乱をもたらしたことは言うまでもないが、私もしっかり影響を受けた。もっとも混乱したのは、1回目の緊急事態宣言が発令された2020年4月。自分で言うのもなんだが、私は心配症で臆病者である。将来のことが不安で、研究に手がつかない時期が続いた。何より私を凹ませたのは、メディアから流れてくる大学生からの不満の声だった。当時、新型コロナウイルスに対してどのような対応をしてよいのか不明確だったこともあり、大学の授業はオンラインにならざるを得なかった。異例の授業開始日程の変更に続き、ロックダウンの可能性を加味して、「授

業はオンラインで」と上から正式な通知がきた。

私は、他の多くの大学の教員たち同様、オンライン授業の質を確保するよう色々手を尽くした（つもりである）。アメリカの大学は一足先にオンライン授業に移行していたので、アメリカの知り合いからオンライン授業のノウハウや注意事項を教えてもらったりもした。しかし、それでも、一部の大学生の間で不満がつのったのは致し方のないことだと思う。ただ頭では分かっていても「オンライン授業なんて授業じゃない。学費を下げろ」という声に、私は落ち込んだ。別に慶應の学生から私が直接文句を言われたわけではないのだが、日本の大学生全体に対して責任を感じてしまったのである。

またそんな私をさらに追い込むように、大学からは財政緊縮に関するメールが何通も送られてきた。特に慶應は大学病院からの収入に支えられている部分も大きく、病院からの収入が激減して大きな打撃を受けたのだ。そんなわけで、「言語学なんてマイナーで世の中の役に立たない学問[1]、大学の予算カットと同時に潰されてしまうんじゃ？」という根拠のない妄想が沸き起こった。確かに、言語学者は、新型コロナウイルスに対して無力だった。ワクチンや治療薬の開発にもまったく貢献できない[2]。こんな時代に言語学なんてやって



1　当時はそう思っていたが、今はそう思っていない。こうやってラップに関して新たな視点を世の中に提供できること自体、立派に世の中の役に立っていると胸を張って言える。

2　いや、本当はコロナ禍において、言語学者だからこそできた大事なこともあるのだが、それはまたまったく別の話なのでここでは割愛する。興味がある人は『フリースタイル言語学』の6.4章を読んでください。

いて何の意味があるのだろうか。いや、そもそも言語学なんて人生をかけてやる意味があったのだろうか。次々に迫り来る問いに私は答えられずにもがいていた。

## だが、立ち上がる

そんな私を救ってくれたのは、Yale大学に勤める友人Jason Shaw先生だった。Jasonとは大学院時代からの友人で、彼は2015年に1年間、訪問研究員として慶應で私と共同研究をしていた。彼と私は、お互いを補完できる研究上のベストカップルで、現在に至るまでずっと一緒に研究を続けている。そんなJasonとオンラインで話しているときに、自分の心情を伝えた。振り返ってみると、そのときの私は、「そうだよね〜大変だよね〜」というような同情・共感を求めていたのだと思う。しかし、Jasonからは意外な返事が返ってきた：

「しげと、その気持ちには半分賛成だけど、半分反対だ。今のアメリカは仕事を失った人で溢れている。そんな中で僕ら研究者は仕事をする権利だけは奪われていない。僕らには、その権利に感謝して研究をおこなう義務がある。だから、一緒に研究しよう。その研究がコロナ禍で直接的に人の役に立たなくても。」

その通りだ。コロナ禍で落ち込むのは当然なことだ。しかし、落ち込んだからには、立ち上がらなければならない。自分のできる範囲で、素敵なオンライン授業を世の大学生たちにお届けすればよいではないか。あとはせっかくだから、録画した授業をYouTubeで無料公開しよう。そうすれば、コロナ禍で苦しんでいる慶應以外の学生にも学問を届けられるかもしれない[3]。

2度目の「自分で言うのもなんだが」だが、立ち上がった後の私は行動が早い。慶應は、もともと4月初旬に授業が始まる予定だったが、4月末まで授業開始が延期され、シラバスも書き直しが求められた。私は「暗い世の中だけど楽しもうぜぃ。プリキュアとかポケモンとか日本語ラップとか、メインにやっていこうと思います。勉強することよりも楽しむことを重視します」的なシラバスを書いた。





## コロナ禍で履修人数が十倍以上に

蓋を開けて、たまげてびっくり。150人以上の学生が私の初のオンライン授業を履修することになっていた。私の授業は選択科目で必修ではない。しかも、慶應には言語学専攻が

3　本文では書きづらい裏話がある。当時、慶應の文学部のオンライン授業は「講師が事前に動画を録画し、学生はそれらを好きな時間に視聴する」という方針がとられていた。リアルタイムでネットにつなげない学生への配慮もあったのだろう。しかし、私は学生とのリアルタイムなやり取りにこそ授業の本当の意義があると思っていたので、この方針に賛成できなかった。かといって、上からのお達しに逆らうわけにはいかない。よって、私はリアルタイムで授業をしつつ、改めて講義動画を作成してリアルタイム授業に参加できない学生に提供した。しかし、そんな二度手間をかけるのであれば、慶應の学生だけに限定するのはもったいないと思い、YouTubeで動画を無料公開するに至ったのである。

ないから、コロナ禍以前は3人で授業することも当たり前、20人も履修したら、大快挙であった。それが150人超えとは……。あの変なテンションのシラバスが、ストレスを感じていた学生の心を射止めたのだろうか。

しかも、履修人数が増えただけでなく、文学部以外の学生、つまり経済学部や法学部、それに普段、授業をしている三田キャンパスから離れた場所にある湘南藤沢キャンパス（SFC）からも履修希望があった。専攻も国文学・英米文学・教育学・社会学・政治学・法律学など、よりどりみどりである。こんなに様々な背景を持った学生たちが、オンラインといえど、一堂に会して学ぶことができるのだ。いや、オンラインになったからこそ、一堂に会せたのだ。コロナ禍前にはできなかったことを色々と試してみるチャンスだ。

私の音声学の初回授業の鉄板は「プリキュアで学ぶ調音点」（こちらも本書で詳しく説明している余裕はないから、興味がある人は前著を……）、そして2回目の鉄板授業は「ラップの韻の分析を通して学ぶ音声学」である。これは私が出演した『KダブシャインのHIPHOPカレッジ』を視聴しながら、適宜解説を加えて音声学の基礎を教えるというものである。要は、「音韻的ラップの世界」（⇒第3章）の授業版だ。この2回目の授業が終わったあと、私は妻に壁打ち相手になってもらい、以降の授業で何ができるか自分の考えをまとめることにした。

「ラップ」というテーマを膨らませたらどうだろうか？ ラップは、文学として捉えることができるから、文学専攻の学生に楽しんでもらえそうだ。その成立背景の解説などは、社会学専攻の学生に喜ばれるだろうし、政治学や法律学にだって関わるはずだ（たぶん）。ラップを教育に応用する可能性を、教育学専攻の学生と議論してみたら？　様々な専攻の学生が集まってくれたこの授業に、ラップという題材は色々な切り口があって、ピッタリではないか。

## オンライン授業だけど（だから）友だち作ってグループワークよろしく

というわけで、3回目の授業では『Change!』（講談社、曽田正人著）から該当部分を抜き出して、日本語ラップのバトル形式は、「歌垣」と呼ばれる和歌の伝統ととても似ていることを紹介した。そう、『フリースタイルダンジョン』で一躍有名になったラップバトルであるが、この漫画で語られているように、歌を使ったバトルを日本人は千年以上も前からやっていたのだ。

そして課題については、「オンライン授業になって友だちができにくい状況らしいから、無理矢理にでも友だちを作ってもらいます。4、5人のグループを作って、それぞれラップについてオンラインで議論して、レポートを提出すること」とした。今考えると無茶ぶりもいいところである。でも、当時は、なんとか学生同士につながりを作ってほしかったのだ。なぜならば、落ち込んでいた私を救ってくれたのは、他ならぬ学生時代からの友人Jasonだったからである。人間、落ち込んでいるときにはひとりでは立ち直れない。誰かに助けてもらうのが一番だ。いや、お互い助け合うのが一番だ。

『Change!(3)和歌のお嬢様、ラップはじめました。』(講談社、曽田正人著)より抜粋

## 文学専攻の学生たちからの回答

グループワークという形に対して一部不満の声も出たものの（シャイな学生はいるものね）、そのレポートたちのできの良いことと言ったら、素敵で涙が出た。例えば、日本語ラップと古典文学との共通性を見いだしてくれた学生たちがいた。第5章で詳しく説明するが、ヒップホップは、すでにある楽曲の踊りやすい部分を借りて、その部分をくり返すことから始まった（⇒112ページ）。歌詞についても、有名な曲の歌詞を借りてくることがある。これらの手法は、ラップの文脈では「サンプリング」と呼ばれるが、要は、伝統的な詩歌で使われる「本歌取り」のようなものである。過去の名作に敬意を払うという点において、現代のラップも古典的な詩歌も違いはない。ラップバトルでも、この「本歌取り」がうまく使われるところで盛り上がることが多い。

別のグループは、韻を踏むための「体言止め」や「倒置法」などの文学手法に注目した。第6章で詳しく説明するが、日本語の文末は「〜です」や「〜ます」で終わることが多く、小節末にくる単語のバリエーションが少ない。そこで、韻を踏むための技術として体言止めや倒置法が多く用いられる。

『Change!(4)和歌のお嬢様、ラップはじめました。』(講談社、曽田正人著)より抜粋

また、これはコロナ禍初期の2020年度ではなく、2021年度の授業でのことだが、日本語ラップと文学の共通性に関して、村上陽一郎という科学哲学者の次のような興味深い発言を学生に紹介した:

> 日本の詩は韻がないという人がいるんだけど、とんでもない話で、韻というのは音に出してみなきゃわかりませんから、目で見ていただけではわからないんです。たとえば万葉集の中に出てくる和歌も、いちおう五七五七七という定型詩ですから、五七五七七を一行ずつ変えて、それをローマ字で書いてみるんですね。そうすると、あ

ざやかに頭韻が浮かび上がってきたり、脚韻が浮かび上がってきたり。

（村上陽一郎『あらためて教養とは』新潮文庫 p.117）

残念ながら村上陽一郎は、本の中で具体例を提示していない。しかし、すかさず具体例を見つけてきてくれた学生がいた。万葉集の中の「多摩川に　さらす手作り　さらさらに　なにぞこの児の　ここだかなしき」（詠み人知らず）という歌である。**「多摩川に」「さらさらに」「だかなし（き）」**の部分の母音が[**a…a…a…i**]で共通していて、これは日本語ラップの韻と同じ構造をしている。現代の日本語ラップの韻の踏み方が万葉集に先取りされていた！　しかも、最後の「**き**」は字余りだが、日本語ラップでも字余りの例が観察されることは、第2章で述べた通り（⇒40ページ）。さらに日本語ラップと同じように、無声化した[i]で字余りが起こっている！　これは控えめに言っても大発見だと思うのだが、いかがだろう。

このように考えると、日本語ラップは、昔から日本に根付いている文学手法と本質的になんら違いはないと思えてくる。この気づきは、私の「日本語ラップは言語芸術である」という命題に結実していくこととなる（⇒第7章）。

## 教育学専攻の学生からの回答

文学的な側面に加えて、「ことば遊び」としてのラップの初等教育への応用について論じてくれたグループもあった。例えば、脚韻や頭韻の分析を通して、子どもたちに「日本語の音は、子音と母音から構成されている」ことを意識的に感じさせて、日本語への感性を磨くことができるかもしれない。慶應には「図書館・情報学」という専攻があるのだが、その学生たちからは、「英語の絵本に比べて、日本語の絵本にはことば遊びを題材としたものが少ない。韻を踏んだ絵本なんて面白いんじゃないですか」という提案があった。

また、教育学専攻の学生からは「先生がラップでもプリキュアでも何でも分析してしまう態度そのものが、自由研究の見本になるのでは？」というレポートもあった。お世辞を言われただけかもしれないが、これだけでAをあげたくなるようなコメントである。あざっす！

## 社会学専攻の学生からの回答

第5章でじっくり説明する通り、ヒップホップの理解は、そのまま現代社会の理解につながる。ヒップホップを学ぶことは、現代のアメリカ社会を理解する手がかりとなる。この学びは、社会学・歴史学・英米文学などを専攻する学生にとってはとても大切なことである。いや、専攻にかかわらず、現代社会を生きる人々全てに大切なことと言えよう。現代の世界は良くも悪くもアメリカ中心に動いている。アメリカを理解しなくては、世界も日本も理解することはできない。

社会学の観点からもっとも印象深かったレポートは留学生からのものであった。慶應には韓国や中国出身の学生もいるが、書き言葉が非常にうまいので、私は普段の授業で彼ら・彼女らを特段外国人として意識することはなかった。しかし、ヒップホップというマイノリティコミュニティから生まれた文化を授業で取り上げたことがきっかけで、自分が日本社会でのマイノリティとしていかに大変な思いをしてきたかを語ってくれたのだ。このレポートは授業で取り上げ、他の学生たちと共有した。日本社会にも、留学生や在日外国人などのマイノリティに対する偏見・差別が存在する。日本にもアメリカと同じような問題があるのに、我々はそれにしっかりと目を向けていないだけかもしれない。




## ついにプロのラッパー、慶應の授業に降臨

こんな質の良いレポートのオンパレードだったから、正直感動した。ここまでうまくいくとは思ってもいなかった。やはりラップを大学教育で扱う意義は大きい……とかなんとか考えていると、ふと思い出した。あれ、そういえば、Kダブさん、例の番組の収録後にランチに誘ってくれ、しかも食後

に「またいつかゆっくり話そうねー」と言っていた気がする。あれ、そういえば、例のディレクター、「晋平太さんと飲みましょうねー」と言っていた気がする。

ダメ元でいいから、オンライン授業に来てもらうように頼んでみたらどうだろうか。ほら、普通の対面授業だったら忙しくてそれどころじゃないかもしれないけど、オンラインなら都合をつけて来てくれるかも？[4]　授業がオンラインになって、友だちと一緒に対面授業ができずに辛い思いをしている学生たちへのご褒美にならないだろうか？　最悪断られるだけだ。

というわけで、彼らに連絡。Kダブ先生からは、すぐにOKの返事を頂いた。晋平太先生も、例の「もえもえきゅん」のディレクターとオンラインで顔合わせをさせてもらって、そこでOKを頂いた。あの日、晋平太先生との顔合わせの直前、落ち着かずにそわそわしている私を見て、妻が「動物園の猿」呼ばわりしてくれたことは良い思い出だ。

## 社会派ラッパーKダブ先生の授業

Kダブ先生には、私が質問を投げかける形で、ヒップホップが生まれたときの社会的背景やヒップホップの4大要素（⇒第5章）について語ってもらった。さすが、日本語ラップというジャンルを築き上げた偉人のひとり。深い知識に基づいて、

4　この前提は間違いで、オンラインだろうが対面だろうが、大学教育に積極的に参加したいと思ってくれているラッパーの人たちは少なくない。その証拠は、本書の第3部を「ちぇけら（check it out）」してほしい。

ヒップホップの歴史やKダブ先生ならではの個人的な体験談を語ってくれた。普段は顔出ししないシャイな学生たちも、Kダブ先生とは直接、口頭で質問し交流を深めることができた。

Kダブ先生が取り上げた問題のひとつにBlack Lives Matter運動があった。2020年5月、ミネソタ州で黒人男性が白人の警察官に首を圧迫されて死亡し、全米、そして世界各国にデモが広がった。この問題の根幹にあるものを理解するためには、ヒップホップの理解が助けになる。ヒップホップ文化は、もともとアメリカ社会においてマイノリティだった黒人コミュニティから生まれてきたものである。そして、そのさらなる背景には、奴隷制度から続く黒人に対する根強い差別がある。

Kダブ先生が学生に強調していたことだが、2020年に起こったBlack Lives Matter運動において特徴的だったのは、白人もデモ活動に参加していたということである。この背後には、少なからずヒップホップの広がりが影響している。ヒップホップ文化がアメリカの社会に浸透するに従って——つまり、黒人たちの生の声を聴き、その映像を実際に見ることで——黒人が置かれている状況を白人たちが先入観を抜きにして理解することができた。それまでは、「黒人たちが苦しんでいるのは、彼ら・彼女らが勤勉でないからだ。だから、自己責任なのだ」などと思われることもあった。しかし、本当に問題なのは、社会構造なのである。そんな意識がアメリカ中に広まっていったのにはヒップホップが大きな役割を担っている。

## 晋平太先生による実践ラップ講座

次に開催した晋平太先生の授業では、より実践的に「ラップを作るとはどういうことか」「そこから何が得られるか」を語ってもらった。晋平太先生は、ラップを教えるのに慣れていて、「自己紹介ラップ」というラップに親しむ方法を確立されている（⇒コラム1&第9章）。この授業では、今までまったくラップを知らなかったような学生もみな「自己紹介ラップ」を作ってみた。また、授業後には「放課後」と称して、有志の学生が残ってサイファー（即興のラップの掛け合い）をおこなった。

Kダブ先生の授業も晋平太先生の授業も大好評だった。「普段YouTubeで見ている晋平太さんに授業に来てもらって、ラップを通してことばの力を磨けるとは思いませんでした。就職活動にも役立ちそうです！」。こんな感想を学生からもらって嬉しくなった私は、次なるイベントを企画することを決意した。

## アウトロ――川原先生の記録簿

ラッパーを講師に招いた授業の成功に味をしめた私は、とある学生とタッグを組んで、公開イベント『ラップで磨くことばの力』をオンラインで2回開催することとなった（⇒コラム2）。その後も、私の授業では毎学期ほぼ必ず誰かプロのラッパーをお呼びすることが定番となった。ここでコロナ禍初期から始まった、ラッパーたちのゲスト講義をおさらいしてみよう。

- **2020春学期：Kダブシャイン先生・晋平太先生**
- **2021春学期：TKda黒ぶち先生**
- **2021秋学期：宇多丸先生**
- **2022春学期：晋平太先生**
- **2022秋学期：Mummy-D先生**



TKda黒ぶち先生には、彼がラップを始めたきっかけから、バトルで得たもの、そしてラップから学び取ってほしいことなどを語ってもらった（⇒第8章）。宇多丸先生には、日本語ラップが確立されようとしていた1980年代、実際何が起こっていたのかを事細かに語ってもらい、ラップ好きにはたまらない授業となった。その授業の日の夜、我が家のラジオから流れてきた『アフター6ジャンクション』の冒頭では、なんと宇多丸先生が授業のことを語ってくれていた。それだけではない。最初に読まれたリスナーからのメッセージは、私の授業に参加していた学生からのものだった。

「学生生活、最後の2年間、オンライン授業になって絶望していたけど、最後の最後に宇多丸先生に質問して、答えまでもらえた。とても嬉しかった。」

学生から直接、良い感想をもらうことはもちろん嬉しい。けれども、そこは私も大人だから、授業の感想には多少なりとも忖度が含まれていることも理解している。だから、学生がラジオを通して公にこんな感想を送ってくれたことに思わず涙がこぼれた。

コロナ禍初期に落ち込んで良かった。コロナ禍において学生たちが感じていたストレスは（当たり前だが）本物だった。当時の大学の対応に対して不平不満が出たのも理解できる。しかし、その不満をせめて自分の授業の中では解消しようと、普段できないような楽しい授業を届けたいと思った。その思いがラッパーのゲスト講義という授業につながった。

前ページのリストを見返してみると、もし学生時代の私が慶應に通っていたら、垂涎もののラインアップである。高校生で「ラップ OR 学問」という進路に迷っている学生がいたら、慶應にきて私の授業を履修してもらいたい。ラップも立派に学問の対象になるし、ラップから学べることは本当に多いのだ。「ラップ AND 学問」という選択肢も存在するのですよ、と伝えたい。もちろん本書を読んで、このメッセージが伝われば、それだけで僥倖（ぎょうこう）である。

やってみよう！

## 晋平太先生に教わる自己紹介ラップ！

自分でラップを作ってみたくなったら、ラップで自己紹介をしてみましょう。ここでは晋平太先生が色々なところで教えている方法を紹介します。自己紹介ラップは、**①名前②出身③特技④目標**を、それぞれ2小節ずつ作詞します。いきなり2小節だと難しいので、まずは1小節ずつ作文します。晋平太先生の例では：

**①名前**　　俺の名前は晋平太
**②出身**　　レペゼンは埼玉の狭山
**③特技**　　趣味は自転車　特技はラップ
**④目標**　　夢は1億総ラッパー化計画

注：レペゼン＝地元を代表（＝represent）すること。

①は自分の名前を言うだけです。②では自分が育った場所を書きます。③は特技でも趣味でも、自分の好きなことならなんでもOK。④は将来の夢・目標などを書きます。

次に、①〜④のそれぞれについて、1行ずつ補足説明を書き足していきます。

**①名前**　　俺の名前は晋平太
**①'**　　ラップは俺の人生だ
**②出身**　　レペゼンは埼玉の狭山
**②'**　　緑が豊かなお茶の街だから
**③特技**　　趣味は自転車　特技はラップ
**③'**　　常にチャレンジャー　スキルアップ

④目標　　夢は1億総ラッパー化計画
④'　　　日本中に増やすかっけーやつ

このとき、韻を踏むとよりラップらしくなります。例えば、「晋平太」と「人生だ」は母音の[i…e…i…a]が共通していますね。「狭山」と「だから」は母音の[a…a…a]が共通しています。ただし、最初は韻にこだわらなくても良いと思います。

この自己紹介ラップを聴くだけでも、「晋平太」という人物がどんな人か見えてきますね。ラップは自分の思いを表現するのにぴったりのツールです。みなさんも是非挑戦してみてください。

もうひとつ、共著者の「しあ」が作った自己紹介ラップの例を紹介しましょう：

①名前　　自分で背負った名前は「しあ」
①'　　　S・H・E・E・R（エス・エイチ・イー・イー・アール）
②出身　　長崎・福岡 心の故郷
②'　　　長年住んで大切な東京
③特技　　ラップや詩がなきゃ飢えるはず
③'　　　曲に込めてる人生と哲学
④目標　　世界に轟けしあの音楽！
④'　　　正解なき未知を生き続ける！

慣れてきたら色々な楽曲を聴いて、自分だけのラップを探求していきましょう。ラップの練習用のフリートラックはYouTubeにたくさんありますので、検索してみてください！

（編集部注：フリートラックについて、練習での使用はOKでも、ダウンロードして投稿するのはNGの場合もあるため、使用する際はよくご確認ください。）

# 第5章

講義2

# ヒップホップの誕生とその歴史

## イントロ

私は長いこと、自分はあくまで言語学者だから、ラップについて語るときも言語学の観点から専門的に研究したことだけを語り、専門家として語れないことは語りたくない、いや語るべきではない、と思っていた。しかし、第5章では、ヒップホップの誕生とその初期の歴史について簡単に解説していこうと思う[1]。なぜなら、ラップを本当に楽しみたいのであれば、その歴史も知っておかねばならないと思うようになったからだ。シェークスピア研究家が、作品自体の研究だけでなく、その時代背景も同時に研究するのと同じことだ。これは、絵画や音楽、それに映画などを鑑賞する際にも言えることだろう。

また、ヒップホップの歴史を理解することは、現代社会の



1　日本語ラップの歴史に関してはせっかくだからMummy-D先生にお話をうかがった。詳しくは第10章を参照だ！　そして本章は、前章で紹介したプロのラッパーたちの授業の録画を確認しながら、その内容をパクら……参考にさせてもらいました（特に、Kダブシャイン先生、晋平太先生、宇多丸先生）。改めて感謝申しあげます。また参考文献にあげている書籍も大いに参考にさせてもらっています。

理解にもつながる。なぜなら、ヒップホップ文化は、現在のアメリカ社会に非常に大きな影響を与えているからだ。例えば、2018年のビルボードアルバムチャートの上半期上位10位は、エド・シーランを除けば、全てヒップホップアーティストが独占している。つまりヒップホップは、アメリカの現代芸能に大きな影響力を持っている。アメリカのオバマ元大統領もヒップホップ好きなことで有名だ。また、これから述べていくように、ヒップホップの歴史は、アメリカの近代・現代史と深く関わっている。良くも悪くも、現代社会はアメリカ中心に動いているということは疑いようのない事実だから、ヒップホップを理解することは現代社会の理解につながる。

ただし、本書で紹介することは基本的な事柄に留めるので、「そんなことくらい、すでに知ってるわ」とか「やっぱどうしても歴史には興味がわかないわ」という読者は、次の章まですっとばしてください。また、本章を読んで興味が出た人は、他にもたくさん良質の資料があるので、ぜひ参考文献リストで紹介している文献を参照してほしい。

## ヒップホップとラップってどう違う？

まず、「ヒップホップ」と「ラップ」の違いを明確化するところから始めよう。「んなこと、もう知っとるわ」という批判の声が飛んできそうだが、この違いを知らない学生も結構いるのだ。簡単に言うと、ラップは「歌唱法」で、ヒップホップは、ラップをひとつの要素として含む「文化の総称」である。ヒップホップは「DJ」「ブレイクダンス」「ラップ（MC）」「グラフィティ・アート」という4大要素から構成されている。

後でしっかりと説明するが、簡単に言うと、DJとはレコード（や現代ではパソコン）を使って音楽を流す人のこと。MCはラップを含め、その場を盛り上げる司会のような人たちである。ブレイクダンスは、見たことがある人も多いと思うが、頭でくるくる回ったりしてしまうアクロバティックなダンスで、2024年のパリオリンピックでは正式な競技種目として追加されることが決まった。グラフィティは、スプレー缶で壁や電車に絵を描くアートのことだ[2]。この4大要素に加えて、知識やファッション等の要素も増えて9大要素と呼ばれることも増えたが、始まりはこの4つだった。大事なのは、ラップはあくまでヒップホップのひとつの要素である、ということ。

ヒップホップ文化を作り上げた「3大DJ」と呼ばれる偉人がいる。「クール・ハーク」「グランドマスター・フラッシュ」「アフリカ・バンバータ」である。その中でも、上述の4大要素で構成される文化・活動を「ヒップホップ」という名のもとにまとめあげたのは、アフリカ・バンバータである。彼は、アパルトヘイトに対する反対運動に積極的に参加したことでも有名だ。ズールー・ネイションという集まりを

2　ちゃんと許可を出している場所もあるが、現代の日本では、勝手に壁にスプレーで絵を描くのは違法です。

組織し、ギャングたちの抗争を止め平和を実現するための活動としてヒップホップを昇華させた人物である。

ちなみに、トリビアだが、「ヒップホップ」の語源は、軍隊にいく仲間たちを見送るパーティーで、軍隊の行進よろしく左右左右（left, right, left, right）とリズムよく手を振っていたのが、hip-hopという掛け声に変わったところにあるらしい。

## ヒップホップは誕生日を持った音楽ジャンル

ヒップホップは珍しいことに、生まれた日時と場所が明確に定義されている。1973年、ニューヨークのウエストブロンクスで生まれたのだ。もっと細かく言えば、後述するクール・ハークというDJが1973年8月11日に妹の制服代を稼ぐために開催したパーティーでヒップホップは誕生した、と言われており、そのパーティーの開催地は、ニューヨーク市の史跡保存局に公式に認定されている。ヒップホップは誕生日を持っている音楽ジャンルなのだ。本書執筆時の2023年でヒップホップは50歳を迎えた！　おめでとう！！

当時のブロンクスは、貧民街（いわゆるゲットー）で、荒れ果てていた。社会のインフラ整備は、税金で賄われる。しかし、その地域の税金は、そこに住む人たちの収入に大きく依存するから、税収の低い貧民街ではインフラが整備されない。

社会インフラが整わなければ、教育もおろそかになり、結果として仕事につくこともおぼつかなくなる。おまけに収入がある人は、そういった地域に住むことを避け、引っ越してしまう。そうなれば、さらに税収が減るわけだから、その地域はさらに荒れ果てる。この悪循環に陥っていたのが当時のブロンクスである。あまりの貧困ぶりに、保険金目当てにわざと自分の家に火をつける事件が続出したというくらいだ。"New York Bronx, 1970s" でYouTube検索すれば当時の映像を見ることができるが、まさに瓦礫の山である。

そんな荒廃した地域だったから、ギャングたちの抗争も絶えなかった。しかし、そんな状況の中で「いい加減、暴力は終わりにしよう」という運動として生まれてきたのが、ヒップホップである。





## アメリカにおける黒人差別の歴史

ヒップホップは、ブロンクスに住む黒人たちによって生み出された。アメリカの黒人たちの多くは、アフリカ大陸から連行されてきた奴隷を祖先に持つ。アメリカの歴史を振り返ると、1776年の建国当初から奴隷制が認められていた。しかし、奴隷制に反対する声が高まり、1861年には、奴隷制に反対した北部と奴隷制を擁護した南部との内戦である「南北戦争」が勃発することになる。この戦争中、1863年にエイブラハム・リンカーンが発した「奴隷解放宣言」は、誰しも一度は耳にしたことがあるのではないだろうか。南北戦争は、奴隷制反対の北部の勝利で幕を閉じることとなる。

南北戦争が終結し奴隷は解放されたものの、それで差別が終わったわけではない。1950年代後半からは、マーティン・ルーサー・キングやマルコム・Xなどが牽引した黒人が白人と完全に同等の権利を持つことを求める「公民権運動」が盛んになる。有名なのが、モンゴメリーでのバスボイコット事件。白人にバスの座席を譲らなかったことで黒人が逮捕されるという事件が起こった。キング牧師らの呼びかけで、黒人たちの間でバス乗車ボイコット運動が広がる。バスの利用者の多くが黒人だったこともあり、バス会社は大きな打撃を受けることになる。のちに、モンゴメリー地域の人種隔離政策は違憲という判断を受けることになった。

このような運動を経て、現在のアメリカでは、制度上は、黒人差別が撤廃されている。しかし、制度上の差別廃止と本当の意味での差別の根絶は、話が別だ。1970年代のアメリカ社会における黒人の地位は、まだまだ高かったとは言えず、ブロンクスには貧困層の黒人たちが多く暮らしていたのだ。

## 踊り続けたいなら踊りやすい部分を流し続ければいいじゃない

そんな社会的状況で生まれてきたのがヒップホップである。ブロンクスの住人は、同じニューヨークのマンハッタンにある入場料の高いクラブやディスコには行けない。行けないならどうするかというと、彼ら・彼女らは、公園や空き家などで音楽をかけながらパーティーをして、自分たちで歌って踊って楽しんでいた。これを「パークジャム」や「ブロックパーティー」と呼ぶ[3]。

ブロックパーティーで音楽を流していると「パーティーに参加している人たちが踊りやすい部分とそうでない部分がある」「特に、歌詞が入っていないドラムの間奏部分が踊りやすく、パーティーが盛り上がる」という気づきが生まれたという。だとすれば、その踊りやすい部分（＝「ブレイク」部分）をひたすらくり返せば、ずっと踊っていられるではないか。この閃きは3大DJのひとりであるクール・ハークによるものだと言われている。

このようにブレイク部分をくり返す技術を使って人々を楽しませたのがDJである。ターンテーブルとミキサーという機材を組み合わせて、レコードを2枚使いながら、既存の楽曲の踊りやすいブレイク部分を切れ目なくリピートさせる。この、かわるがわる2枚のレコードのブレイク部分をつないで流す技術は「メリーゴーランド」と呼ばれ、その技術によって、ブレイクの時間が引き延ばされ、ずっとブレイクだ




3　歌手の城南海（きずきみなみ）さんに慶應で講演会をお願いしたときに、奄美諸島でも人々が集まり即興で歌い合うことが日常的におこなわれていることをお聞きした。ニューヨークで生まれたヒップホップ文化と奄美の民謡文化に共通性が見いだせるということは、「人間は本質的にこのような音楽活動を好む生物である」と考えられるかもしれない。これは、「人間とは何か」という問いへの答えのひとつとなる気がして、非常に興味深いと感じており、この点に関してはもう少し自身で勉強を続けたいと思っている。

けがループしてかかり続ける「ブレイクビーツ」と呼ばれるものが誕生した。読者の方も、お好みのラップの曲のトラックがあれば、じっくり聴いてみてほしい。くり返しが多く現れているのが分かるだろう。ちなみに、このように、既存の楽曲の一部を借用することを「サンプリング」と呼ぶ。

一般的にラップと聞くと、「ラッパーが中心で、DJはそのサポート役」というように捉えられがちだが、この捉え方は歴史的に考えると誤解である。まずDJが流す音楽があり、それに合わせてブレイクダンスを踊る人たちや絵を描いて楽しむ人たちがいた。そんなパーティーがあり、それをノリよく司会進行する人やさらに盛り上げるように呼びかける人たちが出てきた。あまりにDJの技術がうますぎると、会場の客たちが感心して踊りをやめてしまうことがあり、それを避けるためにも、盛り上げ役が必要だったらしい。そうした盛り上げに使われたリズムの良いおしゃべりがラップとなったのだ。この盛り上げ役の人たちをMC（master of ceremonies）と呼ぶ。セレモニーの支配者、簡単に言えば、「司会」である。ラッパーをMCと呼ぶのは、こんな理由からだ[4]。

4　ところがどっこい、MCという単語、ダブルミーニングどころかトリプルミーニングくらいあって、MCをmicrophone controller（マイクをコントロールする人）の略だとする人もいればmove the crowd（聴衆を動かす人）とする人もいる。どれが正しい解釈というわけではなく、MCという単語は色々な意味に解釈できると考えておくのが良いと思う。

## ヒップホップが文化としてまとまる：平和・団結・愛・そして楽しむこと

ブレイクビーツの生みの親は、先ほど名前を出したジャマイカ出身のクール・ハークというDJ。そう、彼こそが、「踊り続けたいなら踊りやすい部分を流し続ければいいじゃない」というコロンブスの卵的な発想を生み出した偉人なのだ。よって、彼は「ヒップホップの父」と呼ばれることもある。

続いて、グランドマスター・フラッシュというDJがブレイクビーツの技術に磨きをかけ、さらにレコードをこすることで独特の効果音を出してリズム感を演出する「スクラッチ」という技術で、この音楽手法をより高度なものに高めていった。ちなみに、彼は『We Speak Hip Hop[5]』という楽曲を発表しており、スウェーデン語、スペイン語、日本語、フランス語、英語を話すラッパーたちを招き、「ことばは通じないけど、ヒップホップなら通じ合える」というメッセージを発表している（日本代表は、OZROSAURUSのMACCHO）。私が大好きな曲のひとつであり、読者のみなさんも人生で一度は聴いてみても損はない1曲だと断言できる。

社会的抑圧に対する不満を、暴力でなく「音楽」や「ダンス」などの方法で表現しようとしたのがヒップホップである。ギャング同士が抗争すれば、尊い人命が失われる。であるな

5　Grandmaster Flash『We Speak Hip Hop feat. Afasi, Kase.O, Maccho, Abass＆KRS-One』

らば、別の方法で勝負を決めようではないか。こうして生まれてきたのがラップだから、パーティーソングとしての側面を持っているのと同時に、強いメッセージ性を持っている楽曲も多い。例えば1982年にリリースされたグランドマスター・フラッシュ・アンド・ザ・フューリアス・ファイブというグループの『The Message』という曲が、強い社会的メッセージを打ち出した代表曲として有名だ。貧民街で住むことのつらさを直接的に訴えている心に刺さる名曲だ。

ヒップホップには、アフリカ・バンバータの楽曲が由来となった①Peace、②Unity、③Love、④Having Funという「4大理念」がある。あくまで、「平和的に」「団結して」「愛を持って」「楽しもう」というのがヒップホップなのだ。日本では、まだまだ「ラップ＝怖いお兄さんたちが喧嘩のようにやっている」という印象を持つ人がいる。ラップバトルを見てラップに出会ったという人も少なくなく、バトルだけを表面的に見ていると、確かに怖い印象を受けるかもしれないが、ラップバトルは暴力を避けるために発達したもので、本質はまったく逆なのだ。ラップはもともと人種差別を受けてきた人々が、抗争をやめ人生を楽しむための文化として発展させてきたということを忘れてはいけない。

## ラップが世界を動かし始める

ブレイクビーツに合わせて、歌い出したのがラップ。パーティーソングとして生まれたラップだから、最初は商業用に作られたものではなかった。「ラップをレコードにして売り出さないの？」という質問があがっても、「あれってパーティーで即興でやるものだし、第一、パーティーでずっとやってるものだから曲として長いよ。レコードに収まらないんじゃね？」的な反応すらあったらしい。

しかし1977年、それまでは内輪の楽しみであったヒップホップが広がるきっかけとなる事件が起こる。ニューヨーク大停電である。「なんで停電が音楽の広まりに関係するの？」と思うかもしれないが、世の中、何が何につながるか分からない。これは、雷が原因で数日続いた大停電であったが、その間に電気屋に置いてあったターンテーブルやミキサーが消え、電気が復旧した後、ターンテーブルやミキサーを持った新たなヒップホップグループが誕生した[6]。停電前はヒップホップ用の機材を持っている人たちは限られていたのが、停電により多くの人たちがヒップホップを実践する素地ができあがったわけだ。

新たなヒップホップグループの誕生に伴い、商業用の曲も作られるようになった。ソウルシンガーのシルビア・ロビンソンのプロデュースで、1979年に発売されたシュガーヒル・ギャングの『Rapper's Delight』という楽曲が世界で最初の商業的なラップとしてリリースされる。この曲には、現



6 厳密には、この2つの出来事の因果関係は不明とも言われているし、実際に盗難を認めている人もいるとか。後者だとすれば、立派な盗難事件なのだが、現在では半ば冗談っぽく語られることがある。

場で活躍していたラッパーではなく、「ラップなら俺だってできるぜ」という人たちを地元で集めて作ったという逸話が残っている。当時のアメリカのポップスチャートにいきなりランクインし、売上総額は8億円以上にものぼり、ラップというジャンルが全米で知れ渡ることとなった[7]。この功績によりロビンソンは「ヒップホップの母」と呼ばれるようになる。次に、カーティス・ブロウが『The Breaks』という楽曲をメジャーレーベルから発売し、この曲は日本でも『おしゃべりカーティス』として流通した。この曲は50万枚以上の売り上げを達成する。1983年には、ジャズミュージシャンであったハービー・ハンコックが『ROCKIT』という楽曲でグラミー賞を受賞し、ラップという音楽の地位を決定的なものとする。これらの楽曲を契機として、ニューヨークで生まれたヒップホップは、1980年代には世界へ広まり、本章の最初で述べたように文字通り世界に大きな影響力を持つ運動にまで発展していく。



**7** アメリカ版のJASRACに登録すれば正式な売り上げ数も分かったはずなのだが、シュガーヒル・ギャングが売り上げの一部を上納することを嫌い登録しなかったため、正式な売り上げ数は不明。

# 第6章

## 講義3
## 制約は創造の母である

### 韻の効用って何ですか？

本章では、コロナ禍において新たに私の座右の銘に加わった「制約は創造の母である」ということばについてお話ししたい。コロナ禍が始まってからの3年間、このことばの正しさを痛感する出来事が何度かあった。

私の日本語ラップ分析がそこそこ有名になってきた頃、よく取材で「韻を踏む効用って何ですか？」と聞かれることがあった。正直、これには困った。私は、すでに踏まれた韻がどのようなパターンを示しているかは分析していたが、韻を踏んだ文章と韻を踏んでいない文章を比較して研究したことはない。薬の効用を実証するためには、薬を飲んだ人たちと飲まなかった人たちを比較してみなければならない。韻だけを分析して韻の仕組みを理解しても、韻の効用は分からない。自分で分かっていないことを、専門家として口にするわけにいかない。というわけで、長いことこの質問には答えられずにいた。しかし、そんな専門家の矜恃など、なかなか取材者側には理解してもらえず、容赦なくこの質問は何度も飛んできた。

## Dr. Seussの挑戦：単語50個で絵本を描いてください!?

しかし、プロのラッパーたちと話し合う中で、ひとつの言語学的な答えが見えてきた。それが「制約は創造の母である」ということばだ。このことばは、「『制約』というとなんだか『不自由さ』のようなネガティブな響きがあるが、制約があるからこそ、新しい何かが生まれる」という意味だ。

私が「制約は創造の母である」ということばに出会ったのは、絵本作家であるDr. Seuss（ドクター・スース）の逸話を聞いたときのことである。これを教えてくれたのは第4章にも登場した、私の親友であるJason Shaw先生だ。Dr. Seussは、日本で例えるとするならば五味太郎レベルに有名なアメリカの絵本作家で、英語圏で育ったお子さんであれば、1冊は読み聞かされたであろう、というくらい有名だ[1]。そんな彼が、編集者と変な賭けをしたという。

編集者：「いくら先生でも、50個しか単語を使わなかったら、絵本なんて描けないですよね？」

1　ただし、彼の作品の中にはユダヤ人・黒人・アジア系の人々などへの人種差別的表現が一部に含まれているとして批判もされている。

これは賭けというよりも、編集者がDr. Seussの能力を信じて焚き付けたのではないかと思うのだが、真偽のほどは分からない。この賭け（挑発？　挑戦？）をものともせずに、Dr. Seussは、50単語だけを使った『Green Eggs and Ham』を完成させ、この本は2019年の時点で累計800万部というベストセラーになった[2]。同じように『The Cat in the Hat』という名作でも、小学校1年生でも分かるような単語236個しか使われていない。こちらはなんと1,000万部を超える大ヒット作であり、アニメ化やゲーム化までされた。興味がある人はこの絵本に関するWikipediaのページを覗いてみてほしい。1冊の絵本に関して、どれだけ多くのことが論じられているか、ビックリ仰天するであろう。

Jasonによると、このDr. Seussの信条が「制約は創造の母である」なのだそうだ。単語を使える自由度が高ければ良いというわけではない。使える単語が限られるからこそ生まれる芸術表現がある。確かに、Dr. Seussのエピソードはそれを実証していると思う。

ちなみに、似たようなことばを残している偉人は少なくない。ルネッサンスを代表する芸術家のレオナルド・ダ・ビンチも “Art lives from constraints and dies from freedom” と言っている。つまり芸術とは制約があるからこそ生きながら



2　その50単語とはa, am, and, anywhere, are, be, boat, box, car, could, dark, do, eat, eggs, fox, goat, good, green, ham, here, house, I, if, in, let, like, may, me, mouse, not, on, or, rain, Sam, say, see, so, thank, that, the, them, there, they, train, tree, try, will, with, would, youである。これだけで本を書いてしまったのだから、すごいと言わざるを得ない。

えるものであり、自由すぎれば死んでしまうというのだ。また、artには「技術」という意味もある。レオナルド・ダ・ビンチが芸術の分野だけでなく、科学や工学の分野でも多大な貢献をしたことを考えると、彼の創作活動全般が「制約」によって支えられていたと考えることもできるかもしれない。

同様に、イーゴリ・ストラビンスキーというロシアの作曲家も “The more constraints one imposes, the more one frees one's self”、つまり「制約を自分に課せば課すほど、自分自身を自由にできる」と明言している。

さらに、歌人の俵万智さんからも同じようなことをお聞きした。2022年に俵さんと対談した際、俵さんも「五七五七七という制約があるからこそ、短歌の表現力が生まれる」「制約があるからこそ安心して創作できる」とおっしゃっていた。俵さんにとって、五七五七七という制約は不自由さを強いるものではなく、表現を工夫するきっかけなのだそうだ。

## 制約が単語と単語の運命的な出会いを引き起こす

少し話が長くなったが、以上のことを踏まえると、「ラップの韻の効用とは何か」という問いに答えが出せそうな気がする。というのも、ラップで韻を踏むためには、「母音を合わせる」という制約が生じるため、日常会話では組み合わされそうにない単語が組み合わされる。このことを明確に示す私のお気に入りの例は、『インファイト[3]』という楽曲で、KEN THE 390が踏んでいる以下の韻だ：

> **常にスタンスはB-boy**
> **派手に転んだら　塗っとけイソジン**
> **傷だらけでも胸には自尊心**
> **持ち目指す自分だけの新境地**
>
> （注：B-boy＝ヒップホップを愛する男性のこと）

[i…o…i]で母音が一致しており、「**B-boy**」「**イソジン**」「**自尊心**」「**新境地**」が韻を踏んでいる。ここで意味を考えると、「B-boy」が「自尊心」を持って「新境地」を開拓するというのは、納得だ。ラップをするというのはそういうことなのだろう。しかし、これらの単語の中に「イソジン」という単語が入ってくることに、違和感と新鮮味を感じはしないだろうか？

韻という制約がなければ、「イソジン」と「B-boy」「自尊心」「新境地」が文学的な表現として出会うことはなかったのではないか。韻があったからこそ、これらの単語が出会い、だからこそ、その組み合わせが新鮮に感じられるのだ。

似たような例として、山田マンが「**軍足**」と「**ムーンウォーク**」で踏んだ韻があげられる（『HIP HOP GENTLEMEN』）。いまだかつて現実世界に軍足をはいてムーンウォークした人



3　KEN THE 390『インファイト feat. ERONE, FORK(ICE BAHN), 裂固, Mr.Q』

間がいただろうか（いたかもしれないが、少なくとも私は見たことがない）。しかし、韻という制約のおかげで「軍足」と「ムーンウォーク」が結びついた。マイケル・ジャクソンが軍足をはいている姿を想像してクスッとしてしまう。

さらにもうひとつ例をあげよう。TKda黒ぶちの『Get Down feat. ELIONE, Zeebra』の以下の部分だ：

> **掲げたスタンスなら**
> **Live in a dream！**
> **これが証拠さ　見ろ右左**
> **無常の響きあり**
> **だけど気にしない**
> **一歩踏み出すかは君次第**

[i…i…i…a…i]を含む「**Live in a dream**」「**右左**」「**響きあり**」「**気にしない**」「**君次第**」と立て続けに韻を踏んでいる。この韻で特に私の心に響くのは、「Live in a dream」という英語表現が「無常の響きあり」という平家物語で登場する日本の古典表現に、さらにこの古典表現が「君次第」という今まさにこの曲を聴いているリスナーへのメッセージにつながっているところだ。韻という制約があったからこそ、英語表現が平家物語と出会い、平家物語が現代のリスナーと出会うのではないか。

そう、思い返してみれば、大学生時代の私がKICK THE

CAN CREWの「イツナロウバ（it's not over）」と「静まろうが」で踏んだ韻に感動した理由はここにあるのではないか。彼の代表曲『Street Dreams』の中でZeebraは、「ヒップホップドリーム」と「日本人」で韻を踏む。アメリカで生まれたヒップホップドリームを日本人が夢見てよいのだろうか？そんな疑問を蹴散らすかのように、韻という仕組みを通して、この2つの表現がぶつかり合う。

Zeebraさんは、この韻の効用を、私との対談の中で「単語同士の運命的な出会い」と呼んでいた。日常会話では同じ文章の中には現れそうにない単語が、韻という制約があるからこそ出会う。そこに我々は感動を覚えるのではないか。





## くり返し好きは愛情が源泉？

このような感動の他にも、韻を心地よく感じられる理由があるかもしれない。韻という表現技術がヨーロッパや中国という別々の地域で発達し、また韻を含んだラップという音楽ジャンルが現在では世界的に広まっている事実を考えると、単純に「人間は本質的にくり返しを好むのではないか」とも思える。では、なぜ人間はくり返しを好むのか？

くり返しは、赤ちゃんに対する育て手からの愛情の表れだからではないか。赤ちゃんが言語を学ぶとき、彼ら・彼女らにとって単語の切れ目はまったく明確ではない。赤ちゃんたちは、そんな音の連鎖から単語を抜き出すという難関を乗り越えなくてはならない。

そこで育て手は、くり返しを多用して、単語の切れ目を赤ちゃんたちに伝える。赤ちゃんへの声がけにおけるくり返しの多用は様々な言語で報告されている。例えば、日本語では「めんめん（麺）」「ちゅるちゅる（麺）」「ぽんぽん（お腹）」などが好例である。英語の幼児語でも「おやすみなさい」をnight-nightと言ったり、汽車のことをchoo-chooと呼ぶ。このようなくり返しが起こると、そこにひとつのまとまりがあることが赤ちゃんに伝わる。「ちゅるちゅるをもぐもぐしましょうね」という語りかけは、赤ちゃんに、どこに単語の切れ目が存在するかを分かりやすく伝えるための愛情ある工夫なのだ。そこから「くり返し＝愛情＝心地よい」という一般化が起こったのだと考えてもおかしくはないと思う。

## 韻の飛距離!?

少し脱線してしまったので、話を戻そう。多少表現は違うものの、普段は出会わないような単語が韻を通して出会うことについて、R-指定とZORNが「韻の飛距離」という表現をしている。非常に興味深いので、そのやり取りをそのまま引用しよう[4]：

**R-指定**：よく、ZORNさんと俺は「韻ってやっぱり飛

4　https://news.1242.com/article/209776より引用。

距離が大事やんな」って話していて。

**ZORN：**そうなんだよね、韻には飛距離があるんだよね。

……（中略）……

**R-指定：**「A」という言葉と「B」という言葉で踏もうとしたら、「A」と「B」の言葉の響きは近ければ近いほどいい。でも、その内容がかけ離れていれば離れているほど、韻として面白いというか。





ここでいう「韻の飛距離」とは「韻によって組み合わされた単語の意味的な距離」とでも言えると思う。この点を私なりに喩えて言えば、遠くに住んでいて偶然では会いそうにない2人が、韻のおかげで運命的に出会うということだ。少しロマンティックすぎる表現だろうか。

## 惰性化した日常をラップによって破壊せよ

ちなみに、ロシア・フォルマリズムという文芸批評の流派があるのだが、その主張のひとつは、文学の効用とは日常言語の「異化作用」にあるという。日常的に我々は言語を無意識に使っていて、その行為は自動化される。悪く言えば、惰性で言語を使っているわけだ。ラップの韻は、その無意識で自動化された言語活動を強制的に意識化させる。その「異化作用」によって日常的な言語活動が破壊され、新たな創造的表現が生まれる。

ラッパーのアクセントの使い方もまた、言語学的な観点からは異化作用をもたらすと言える。と言うのも、ラッパーは、韻を踏む場所で独特のアクセントを用いることがあるからだ。例えば、『HIP HOP GENTLEMEN』で山田マンが「芸術は爆発　生きるのに役立つ」という韻を踏むのだが、「爆発」も「役立つ」も語頭にアクセントが置かれ、「高低低低」と発音されている。本来のアクセントでは、それぞれ「低高高高」と「低高高低」のはずなのだが、アクセントが崩されることで、妙な新鮮味を覚える[5]。

ただし、ラッパーによって、もともとの単語のアクセントを大事にするラッパーとアクセント崩しを積極的に用いるラッパーに分かれる。Zeebraはアクセントを崩す傾向にある一方、キングギドラの相方のKダブシャインは頑なにこれをやらない。また、楽曲間で使い分けるラッパーもいる。もともとのアクセントが保持されれば、歌詞が聴き取りやすいという利点があるし、逆にアクセントが崩されると、韻が感じ取られやすく、また独特のリズム感も感じられるという利点

5　このアクセント崩しに慣れてくると、アクセントが普段と違う形で発音された単語を聴いた際「あれ、今アクセント崩しが起こったな」と感知できる。アクセント崩しは多くの場合、韻が踏まれる合図だから、「この単語にどんな単語を組み合わせて韻を踏むのだろう？」とあらかじめドキドキできる。『フリースタイルダンジョン』で審査員を務めたときも、ラッパーたちの韻を必死に聴き取るために、私はこの手法を使っていた。

が生じる。どっちのスタイルが優れているという話ではない。ラップ好きの方々は、ラッパーたちのアクセントの使い方に注目して聴いてみるのも一興だと思う。

## 「～のせい」を「～のおかげ」にかえる力

はてさて、「制約は創造の母である」という命題であるが、私はコロナ禍初期の授業では、ラップの韻分析の紹介にからめて、しつこいくらい学生たちに強調した。コロナ禍では、世界中の人々に大きな制約がのしかかった。「人と会っちゃダメ」といわれ、人間の根源的な社会的欲求すらも制限されてしまったのだ。学生たちもずいぶん不自由な思いをさせられたと思う。授業はオンラインでなんとかなったとしても、大学生活の醍醐味は、他の学生や先生たちとの対面での交流にもあるのだから。

しかし実際、制約があったからこそ成し遂げられたものもあった。それも事実である。例えば、オンライン授業にラッパーを呼ぶという試みは、オンライン授業という制約がなければ、考えつきもしなかっただろう。コロナ禍がなければ、私の授業に、ほぼ毎学期ラッパーたちがゲストとして来る、とはならなかっただろう。つまるところ、コロナ禍という制約があったからこそ新たな教育の可能性が開けたのである。そして、この一連の流れが本書執筆という機会につながった。

関連して、晋平太先生が授業で強調されていたことがある。それは、「ラップの力を使って『〜のせい』を『〜のおかげ』にかえる力を身につけよう！」ということだ。「コロナのせいで、授業がオンラインになって大学生活がつまらなくなった」を「コロナのおかげで、豪華なゲストスピーカーが来てくれるようになった」と気持ちの転換ができるかもしれない。晋平太先生のこの考え方は「制約は創造の母である」につながると思う。私（大学の研究者）と晋平太さん（現場で活躍するラッパー）が、ラップを通して同じ結論に至ったということは、「制約は創造の母である」ということばに真実が潜んでいると思わせてくれる。



## 言語学的制約が新たな芸術表現を生み出す

「制約は創造の母である」という命題は、日本語ラップの韻の技術の進化そのものにもあてはまる。例の掲示板でなされた「日本語はラップに向いていない」論を思い出してみよう（⇒34ページ）。日本語では基本的に、子音の後には母音がくるし、その母音も[a, i, u, e, o]の5種類しかない。だから、小節末の母音を1個だけ合わせても、それは20％で起こる偶然に過ぎず、韻っぽく聞こえないという意見があった。

これは英語と比較すると明確だ。数え方や方言にもよるが、英語には少なくとも10個以上の母音が存在し、しかも、母音の後に子音が続くことができる。しかも、その子音の数も1つに限られない。strengthsという日本人には発音不能とも思える子音の連鎖まで許されるのだ。よって、英語には母音と子音の組み合わせが星の数ほど存在する。だからこそ、母音と子音が合っていれば韻として際立つ。一方、日本語では単語のほぼ全てが母音で終わり、その種類も5つしかないので、母音が1つ合っても、なかなか韻には聞こえてこない。この考えにも一理ある。

『ライムスター宇多丸の「ラップ史」入門』(NHK出版)の中で、いとうせいこうと宇多丸が、日本語のまさにこの問題について語っている部分がある。同書で、スチャダラパーのBoseも、少し観点が違うものの、日本語の響きとラップの相性の悪さを語っている。さらに、私がMummy-Dさんと対談したときにも、ラップをするためには、日本語は不利だったと証言されていた。とかく、日本語の音声的な特徴がラップに向いていないと思われていたのは事実のようだ。

詩人の谷川俊太郎も、日本語という言語が韻に向いていないと感じており、以下のような発言をしていた:

> もともと日本語には、七五調というはっきりとした韻文の形式があります。それで短歌、俳句が非常に盛んなわけです。ただ七五調で書くと、現代詩としてはちょっと時代錯誤的になってしまうんです……それ以外に言語の音的な要素というと韻しかなくて、脚韻を踏む、ある

いは頭韻を踏むということも考えたのですが、日本語の特性として脚韻というのが聞こえて来ないんです。全部母音で終わっているから[6]。

この音に関する特性に加えて、日本語は文末が「です」や「ます」で終わることが多く、そもそも小節の最後に来る語彙のバリエーションが少ない。

しかし、このような日本語の言語学的制約があったからこそ、現在のラップの手法が生まれたのではないか。「文末における語彙のバリエーションが少ないからこそ、倒置法を用いて小節末に名詞を置く」「母音を1つ合わせても韻が聞こえにくいからこそ、複数の母音を共有する語彙を合わせる」[7]。このような発想が生まれ、ラップは芸術とも呼べるレベルまで昇華していったのではないか。つまり、日本語の言語学的制約が、日本語ラップの生みの母として働いた、と考えても良いのではないか[8]。

そして、日本語には単語に含まれる母音の数が多いという特徴と相まって、「イツナロウバ」と「静まろうが」のよう

6　https://cakes.mu/posts/19643より引用したもの（現在はリンク切れ）。ただし、2022年に出版された対談『言葉の還る場所で』（春陽堂書店）では、ラップに興味があることを語っている。

7　これらの手法を誰が考えついたのかに関しては諸説あるし、実際のところは、多くの人々の知恵が集まった結果生み出されたと考えるのが妥当だと思う。ただ、Kダブ先生が授業で語っていた発想が非常に興味深かった。彼にとって日本語で韻を踏む手法を生み出すヒントのひとつになったのが、中国語の韻の伝統だった。日本語は中国語から多くの単語を借りている。ならば漢語（音読み）を使えば、自然と韻を踏めるのではないか。そこから語尾だけではなく単語全体で韻を踏むという発想が生まれ、倒置法も重要な役割を担うようになった。至極論理的な発想だが、同時に「コロンブスの卵だなぁ」とも感じる。

に6つも母音が合うという技術にまで発展した。今のラップを聴いていると、このような6つも母音が一致するという韻が日常茶飯事のように聞こえてくる。いやそれ以上だ。例えば、LITTLEは『夢のせい』の中で「バカバカバカしい最後さ　旅立とう涙もなびかそう」と「ただただただ言いたいのは　アリガトウ　何かとアリガト」で韻を踏んでおり、この韻では25個の母音が揃っている。一方、これだけの数の母音を一致させる韻は、少ない母音だけで単語を形成できてしまう英語では、なかなか再現が難しいのではないか。

まとめよう。「制約は創造の母である」。日本語の言語学的制約によって現代の日本語ラップの韻の技術が生まれた。そして、韻という制約によって日常ではあり得ない芸術性が生み出される。制約と聞くと、我々は何か不自由な縛りを想像しがちだ。しかし、日本語ラップの事例に鑑みると、制約は我々の人生を豊かにしてくれるものかもしれない。そんな心構えを持って人生に臨みたいものである。



**8**　英語のラップにおける韻も、「最後の母音を1個合わせるだけ」というような甘いものではなく複数の母音を合わせることもあるので、日本語ラップも英語のラップ技術を踏襲している可能性は高い。ただし、日本語の韻の手法を確立していったラッパーたちが日本語の言語特徴に言及していることを考えると、この私の仮説も少なくとも一理はあると思う。

第7章

講義4

# 日本語ラップは言語芸術である

## 言語芸術とは何か？

第2部の結論として、私がたどり着いた「日本語ラップは言語芸術である」という命題についてお話ししたい[1]。

英語にはverbal artという表現がある。歌唱、詩歌、ことば遊び、洒落、神話や伝承などの口承を広く含む「言語」を使った「芸術」の総称であるが、私はそれを「言語芸術」と訳している。この「言語芸術」という概念、厳密な定義を与えようとすると、「そもそも『芸術』って何？」という話になってしまい、別の本を書かねばならなくなる。そこで、あえて短めに説明してみると、日常で我々がことばを使うとき、重要なのは伝えようとする「意味」だが、それに対し、言語芸術では、伝えようとする意味とともにその「表現方法」も同じように重要である、とでも言えるだろうか。もっとも、「日常会話でも表現方法は大事だろ」と言われると、まったくその通りであるから、

1　本章は『文學界』（文藝春秋）2022年9月号に掲載された「言語芸術としての日本語ラップ」を大幅に加筆・修正したものです。

この定義は不完全だ[2]。ただこれより良い定義は思いつかないので、とりあえず今は定義の話はこれくらいにしておこう。

「言語芸術」という表現は、あまり日本では使われていないが、それだけに、私はこの名前と概念がもっと広がってほしいなと思いながら活動を続けており、本書の執筆もその一環である。私が「ラップ＝言語芸術」という命題を主張する理由は2つある。ひとつは、学術的にこれが正しいと信じていること。もうひとつは、「ラップに対する誤解を解きたい」という個人的な思いである。「ラップ＝怖そうなお兄ちゃんたちが歌いながら喧嘩しているもの」という捉え方は、ヒップホップ文化の基本理念に照らし合わせてみると大いなる誤解であることは、第5章に解説した。ヒップホップは、暴力的ではない方法で問題を解決するために生まれた文化だった。この理解に加えて、「ラップも短歌などと本質的に同一である言語芸術なのだ」と考える人が増えれば、この誤解も解けるのではないか。本章にはそんな思いが込められている。



## 韻を確率的に考える

さて、「ラップ＝言語芸術」ということを学術的に示すために、まず日本語ラップの韻を「確率」の観点から考えていこう。世間で考えられている一般的な定義では、韻とは「同

2　実際、私も娘たちに「言い方に気をつけよう」と言っているし、「言い方に気をつけて」と妻からたしなめられてもいる毎日である。

じ母音を共通して持つ語や句を合わせること」になっていることは第2章で説明した（そして、この定義に問題があることも論じてきたが、その点については後で戻ってくるとしよう）。例えば、『Do What U Gotta Do[3]』のMummy-Dの歌詞を見てみよう：

> **Who me? 一二三（ひふみ）でマイクロフォン掴んでいい風味出す**
> **A,B,C to D 蹴散らすそこらのB級品からC級品**

まずは、[i…u…i]で母音が揃っていて「**一二三**（ひふみ）」と「**いい風味**」で韻を踏んでいる。しかし、この韻はこれに留まらない。上の歌詞の中だけでも ①「**一二三**（ひふみ）」②「**いい風味**」③「**C to D**」④「**B級品**」⑤「**C級品**」と合計5回、同じ母音を3つ持った単語や句が組み合わされている。その後も：

> **そいつがMy J.O.B（じぇーおー びー）**
> **DopeなBeatsに傾倒しちゃいるが振らない星条旗**
> **こいつで成功しても瞑想し保ってくぜ平常心**

というくだりでは、①「**J.O.B**（じぇーおー びー）」②「**傾倒し**」③「**星条旗**」④「**成功し**」⑤「**瞑想し**」⑥「**平常心**」という6つの語句で[**e…o…i**]を合わせることによって、さらに韻が重ねられている。

サルがタイプライターを叩いた結果、偶然シェークスピア

3 Zeebra『Do What U Gotta Do feat. AI, 安室奈美恵, Mummy-D』

の詩と一致してしまう確率について考えた人がいる。日本語ラップの韻についても似たような思考実験が可能だ。日本語の母音をランダムに並べた結果、上で引用したような韻が生まれてしまう可能性はいかほどだろう[4]。

Mummy-Dが「**一二三**(ひふみ)」を選んだ瞬間を想像してみよう。「**一二三**(ひふみ)」の母音は[**i**…**u**…**i**]だ。次の単語の後ろから3番目の母音が[i]になる可能性は、1/5である。同様に、最後から2番目の母音が[u]になる可能性も、最後の母音が[i]になる可能性も1/5だから、「**一二三**(ひふみ)」と「**いい風味**」の韻が偶然生み出される確率は1/5×1/5×1/5=1/125となる。この韻では、これが合計4回くり返されてきたので（つまり同じ事象が4回起こったので）、全体としての確率は1/125の4乗=1/244,140,625（約2.5億分の1）。同じ理屈で、「J.O.B」から始まる韻が偶然発生する確率は、1/125の5乗だから=1/30,517,578,125（約300億分の1）という途方もない数字になる。2つ合わせて、1/125の9乗で、数学嫌いではない私でももはや計算するのも嫌になる天文学的な数字である。大事なのは、この確率がとても低いという事実だ。しかも、Mummy-Dがこの曲の中で踏んでいる韻は、上記の部分だけではないので、実際の歌詞のように母音が揃う確率はさらに低い。サルがシェークスピア

4　あくまで単純化した思考実験だから、「日本語の5つの母音は等確率で現れる」とし、「日本語にはどんな単語が存在し、それぞれがどんな文脈でどんな頻度で使われるのか」などは考えないことにする。また、韻では母音の長短は無視されがちなので、この区別も捨象して考えることにする。言語学に精通した人たちは、ここら辺がとても気になるだろうが、そんな人たちには、ひとつ大人な対応をお願いしたい。いや、むしろコーパスを用いてより現実的なシミュレーションをして確率を計算する強者が現れてくれることを望む。

を作り上げてしまう確率よりは高いかもしれないが、偶然起こってしまうことを期待できるほど高い確率ではない。単に「同じ母音を持った語句を合わせる」と言っても、そんな簡単なことではないことが伝わるであろう。

ラップは確率のレアさを競うゲームではないから、ラッパーたちにとって具体的な確率の数字は、そこまで重要ではないかもしれない。しかし、こうやって数字で明示化することによって、ラッパーたちの偉業が改めて浮き彫りになると思うのだが、いかがだろう。韻は偶然できるものではない。当たり前のことだが、数字で実感してみると、この事実がより鮮明に理解できる。



## 韻は母音だけじゃないのよ

2番目の理由。第3章でじっくり論じたが、日本語ラップの韻には、子音の選択も重要なのだ。このことからも、日本語ラップが言語芸術だといえる。復習がてら、先ほど分析した曲に現れる韻をここで吟味しよう。「**傾倒し[keetooshi]**」と「**星条旗[seejooki]**」の組み合わせを例にとって子音を見ると：

**[k … t … sh]**
⇅ ⇅ ⇅
**[s … j … k]**

というペアが浮かびあがってくる。音声学の観点からは、それぞれの子音のペアで、「阻害音」という似た音同士が組み合わされている。人間の言語音は大きく「共鳴音」(「なまやらわ」行)と「阻害音」(「かさたは」行)に分けられる。共鳴音は、鼻または口から空気がスムーズに流れる音で、阻害音では空気の流れが強く阻害される。そして、「傾倒し」と「星条旗」の韻では全て阻害音が子音のペアとして使われている。ここで重要なのは、「阻害音」という音の種類は、私がここでこじつけで持ち出したものではなく、例えば「日本語では阻害音にしか濁点がつかない」というように、言語学では欠かせない概念である、ということだ。Mummy-Dがこの韻では阻害音のみを用いているところに私は芸術性を感じる。





そして、もうひとつの例を見てみよう。Zeebraは『Street Dreams』の中で、「**ファンキー**」と「**パンピー**」で韻を踏んでいるが、その子音部分を考えると:

**[ɸ … k]**
**⇅ ⇅**
**[p … p]**

「ファ」の子音=[ɸ]は、両唇を狭めることで摩擦を作り出す音で、「パ」の子音=[p]では、両唇が完全に閉じる。どちらも「両唇を使って発音する子音」という点で一致しており、両方とも「無声音」という「声帯を開いて発音する音」だ。次の子音のペア「キ」=[k]と「ピ」=[p]は、両方とも声帯が開きつつ口の中が完全に閉鎖することで破裂を作り出す「無声破裂音」である。異なっているのは、前者[k]が舌の胴体を使うのに対して、後者[p]は両唇を使うという点だけ。Mummy-Dの韻と同様、Zeebraの韻でも音声学的に似たような子音が組み合わされており、ここに芸術性を感じてしまうのは私だけだろうか[5]。

私がラップの子音の役割についての本格的な論文を発表したのは2007年で、その頃は、ラッパーたちが子音についてどれだけ意識しているのかは分からなかった。当時は、どちらかと言えば、無意識に似た子音が選ばれているのだと思っていた（⇒81ページ）。しかし、宇多丸さんやZeebraさんなど、日本語ラップの韻の技法を作り上げてきたラッパーたちの「『日本語ラップの韻＝母音を揃えること』だと思われるのは不本意だ」という証言を聞いて（⇒43〜46ページ）、「子音も韻における大事な要素なのだ」と確信するに至った。この韻における絶妙な子音の選択の仕方も、私が「ラップ＝言語芸術」と考える理由になっている。



5　もちろん、2つの例だけからでは、「日本語ラップの韻において子音が重要な役割を担う」とは結論づけられない。偶然の産物かもしれないし、私が自分に都合の良い例をピックアップしているだけかもしれない。そんな良い意味で疑い深い読者のみなさまは、第3章で報告した統計的な分析を参照してほしい。

## 母音と子音だけじゃないのよ、音節構造も大事なの

「ラップ＝言語芸術」と考える理由は、母音や子音の選択に関わることだけではない。『Do What U Gotta Do』におけるMummy-Dの歌詞の一部を見ていこう：

> **Alright, ならまた違うスタイルで**
> **フロウすりゃFakeとは見間違うまい**
> **壁に直面中？　ならしな迂回**
> **または一点突破オレらHip Hopperと味わうかい？**
> **（中略）**
> **Yo, Mr. Dynamite もう待たしちゃいらんない**
> **掴めMic　このシンフォニー**




ここに現れている韻は、①「**オーライ（Alright）**」②「**スタイ(ル)**」③「**見間違うまい**」④「**迂回**（うかい）」⑤「**味わうかい**」⑥「**ダイナマイ（Dynamite）**」⑦「**いらんない**」⑧「**マイ(Mic)**」である。どの単語も[ai]で終わり、[a]の前には子音（[r], [t], [m], [k], [k], [m], [n], [m]）が現れるが、[i]の前では子音が現れることは一度もない。

これも偶然だとは考えにくい。どれだけ考えにくいか実感するために、3つの仮定を想定してみる。①日本語には子音が19個ある、②どの子音も同確率で現れる、③子音が現れない

確率も、他のある子音が現れる確率と同じである[6]。すると、[i]の前に子音が現れない確率は1/20だから、これが8回連続起こる確率は1/20の8乗、1/25,600,000,000（256億分の1）。[a]の前に8回連続で何かの子音が現れる確率は、19/20の8乗≒0.66だ。最後のかけ算は読者それぞれにゆだねよう。

この偶然ではあり得ない韻のパターンも、音声学的に考えると納得できる。日本語で[ai]という母音の連続は「1つの音節」で、[a]と[i]の間に子音を入れてしまうと、それは2つの音節に分かれてしまい、Mummy-Dはこれを嫌っているのだ。つまり、Mummy-Dは意図的に1つの音節にまとまる母音の連続は分けずに韻を踏んでいる。これは日本語における音節構造を理解していないとできない技術だと思う。同曲『Do What U Gotta Do』中で、Zeebraも音節構造を大事にして韻を踏んでいることを示す歌詞があり、これまた興味深い：

> **OK じゃあ　すっ飛ばそう**
> **ゴールはまだずっと向こう**
> **息切れたら休みゃ良い　まあ良い**
> **今日は見せるぜぶっ飛ぶショー**
> **（中略）**
> **だけどその前にぜってえ解らせる　U know?**
> **確かなフロー　確かな詩**

6　①は反対意見も多いだろうし、②と③は非現実的な仮定であることは重々承知の上だ。あくまで例示のための簡略化した仮定である。

**確かなフォーメーションで**
**確かなショー　確かなビート**
**こいつが証明書　Yeah**

上記の韻では、**①「そう」②「向こう」③「ショー」④「ノー（know）」⑤「フロー」⑥「ショー」⑦「しょうめいしょー（証明書）」**で韻が踏まれている。これら全ての単語で、[o]と[o]が並んでいる。1つ目の[o]の前には色々な子音（[s], [k], [sh], [n], [r], [sh],[sh]）が現れるのに、2つ目の[o]の前には子音がまったく現れない。日本語では、[ai]だけでなく[oo]も1つの音節をなす。Zeebraも、韻で合わせられる複数の母音が1つの音節でまとまっている場合、一貫して、その音節構造を保持して韻を踏むという技術を駆使していることが分かる。

ICE BAHNの玉露も、「音節構造」という専門用語は用いていないものの、韻を踏むときに、このことを意識していると語っている：

ア行、「アイウエオ」って、前の音と繋がって、2個で1個になるような聞こえ方がしますよね。例えば「愛」とか「貝」っていう時って、「か」「い」って一音ずつ発音するよりも、「かい」って発音した方がいい。逆に「秋」の場合は、「あ」と「き」を分けてはっきり発音しないといけないですよね。**だから「愛」と「秋」は、**

**確かに母音上は踏めているんだけど、俺の中では踏めていない、と思う**[7]**。** （強調は著者による）

ヒップホップ専門ラジオWREPの番組『第三研究室』で、Mummy-DさんとZeebraさんと、ここで述べた韻における音節構造の役割に関して話したのだが、おふたりとも「[ai]で韻を踏む際には、音節構造をはっきり意識している」と言っていた。

その場で、おふたりが語ってくれた「音節を重視して韻を踏む理由」が印象的だったので紹介したい。日本語は英語に比べて母音が多いので、必然的に音節数が増え、音符にあてられるメッセージの量が減ってしまう。例えば、英語でmy name isと言えば3音節だから音符3個分で対応できるが、日本語で「おれのなまえは」と言ってしまうと7音節、つまり音符を7つも消費してしまう。結果として、日本語を使って英語と同量のメッセージを歌詞に込めるのが難しくなる。しかし、1つの音節でまとまっているもの（つまり[ai]や[oo]など）を1つの音符にあてれば、この問題が多少は軽減される。

このようにラッパーたちは音節構造まで意識して韻を踏んでいるのだ。まとめると、「ラップ＝言語芸術」であると結論づけられる言語学的な理由は、①母音、②子音、③音節構造が全て考慮に入れられて韻が作られている、ということだ。

7　https://sukikatte.jp/icebahn-interview-01/より引用。

## 韻による異化作用

以上の韻の言語学的分析からでも、私が「ラップ＝言語芸術」と考える理由は伝わったと思う。さらに、ラップは「文学的」な観点からも言語芸術であると言える[8]。第6章の授業でじっくり説明したことだが、簡単にくり返すと、韻を踏むという制約のおかげで、ラップは日常の言語表現ではあり得ないような表現を生み出すことができる。韻を通して、KEN THE 390は「**B-boy**」「**自尊心**」「**新境地**」という単語を「**イソジン**」に結びつけ、Zeebraは「**ヒップホップドリーム**」と「**日本人**」を結びつけた。これらは、文学理論でいうところの「異化作用」を引き起こし、惰性化した日常言語に新鮮味を与えている。これはラップが、他の文学作品と同じ効用を持っていることを意味し、つまり、文学が芸術なのであれば、ラップも芸術であるという結論に我々を導いてくれる。

また、「日常生活においてあり得ない表現が生まれる」というのは、意味の観点だけからでなく、音の観点からも成り立つ。先ほどの確率論的な分析で示した通り、日常生活において、同じ母音を持った単語が何度もくり返されるということは、ほぼあり得ないことである。「響きの新鮮さ」という観点からもラップを芸術として見做していいのではないかと

**8**　日本語ラップと伝統的な芸術の共通性は、ラッパーでもあり小説家・俳優でもあるいとうせいこうさんがくり返し強調されている点でもある。

思うのだが、いかがだろう。

## 宇宙人がラップと短歌を比べたら

第4章で話した通り、私は大学の授業で文学専攻の学生と議論していく中で、日本語ラップで駆使される様々な技法が、日本の古典的な文学表現の中にも見られることを強く認識するようになった。万葉集に出てくる「多摩川に　さらす手作り　さらさらに　なにぞこの児の　ここだかなしき」という歌では、「**多摩川に**」「**さらさらに**」「**だかなし(き)**」の部分の母音が[**a…a…a…i**]で共通しており、これは日本語ラップの韻と同じ構造を持っている。

また、日本語ラップでは同一の子音を重ねていく頭韻も積極的に用いられるが、これも古典的な詩歌でも観察される。日本語ラップで頭韻といえば漢が頭に浮かぶ。例えば、『破壊と再生 feat. RUMI, KEMUI』に「**反抗期止まない　反逆児の破壊と再生**」という部分がある。[h]が3回くり返され、[h]と同じ無声摩擦音の[s]も出現する[9]。これとほぼ同一の構造を持っている詩歌が百人一首におさめられていると言ったら驚いていただけるだろうか。「**ひさかたの　光のどけき**

9　「あれ？　この話ってさっき論じていた子音の話と被ってない？　同じことを違う角度から論じているだけじゃない？」とツッコまれた賢明な読者もいらっしゃるだろう。しかし、私の子音の研究では、あくまで「似た子音」に分析の的をしぼり、同一の子音の影響は排除した。頭韻は「同一の子音のくり返し（にたまに似た子音が加えられる）」であるから同じ話ではない。また、頭韻は語頭や句頭の音に関する表現技術であり、脚韻と現れる場所が異なる。

**春の日に　しづ心なく　花の散るらむ**」（紀友則）。五七五七七全てが無声摩擦音で始まり、そのうち4つが[h]で統一され、「し」も無声摩擦音[sh]で始まるのだ！

頭韻に関して、私がさらに衝撃を受けたエピソードがあるので紹介したい。いろんなご縁が重なって、2022年10月にZeebraさんに慶應で講演してもらうことになった。そこで彼は、『Original Rhyme Animal』では「突き刺さるぜ　その錆びた心に」と[s]を使った頭韻を駆使している、と言っていた。実は、私はその前日に俵万智さんと対談をしており、あの「サラダ記念日」（「この味がいいね」と君が言ったから七月六日はサラダ記念日）の制作秘話を聞いていた。あのあまりに有名な短歌、思いついた最初のキーワードは「サラダ」だったという。そこから同じ[s]で始まる「七月」を選んだとのこと。Zeebraさんと俵さんが、同じ[s]の頭韻を使って作品を作っていたのだ！

しかも、Zeebraさんの講演会の最前列には俵さんと息子さんが座っていた。彼は無類のラップ好きであり、Zeebraさんを「神」と呼ぶほどなのだという。俵さんは、このときのエピソードを私との出会いを含めて新聞で紹介してくれた[10]。新聞では公表されていないが、俵さんは「目で読まれることがほとんどになっている短歌にとって、音声学的な視点やラップの技法は、大事なことを思い起こさせてくれるような気がします」というメールを個人的に送ってくれた。その

**10**　2022年11月9日の朝日新聞。『音と韻のわらしべ物語』に掲載。

メールには、下の句で韻を踏んだ短歌も含まれていた。これは、俵さんも「ラップ＝言語芸術」という命題に賛成してくれている証左だと私は勝手に思うことにしている。

まったく先入観のない宇宙人がやってきて、日本語ラップと短歌を客観的に比べたら、2つの「違い」よりも、その「共通性」に目を向けるかもしれない。万葉集に代表される日本の古典的な詩歌が芸術なら、日本語ラップも芸術である。

## 学問というレンズを通して見える風景

最後に、「私が日本語ラップを芸術だと感じられるようになったのは、言語学というレンズのおかげである」という点を強調して、第2部の締めとしたい。

私は長年「言語学を研究する意義とは何か」と自問自答してきた。工学や医学と違い、言語学は、その社会的意義が必ずしも明確ではないからだ。しかし、言語学というレンズを通して見ると、日本語ラップに芸術性を見いだすことができる。ピカソの絵を何の知識もなく見るのと、歴史的背景を知って見るのでは、感じるもの・得るものは大きく異なるであろう。それと同じことだ。最近「学問を学ぶことで、世界の解像度があがる」という意見をよく耳にするようになったが、まさにその通りだと思う。

Mummy-DもZeebraも、音節を大事にして韻を踏んでいる。

これは言語学の知識があったからこそ気づけたことだ。言語学の知識がなければ、Mummy-Dが[ai]を常にひとまとめに扱っているという事実に気づきすらしなかっただろう。いわんや、彼が「なぜ」そんなことをしているのかをや、である。言語学の知識があれば、彼らの偉業をより深く味わえるのだ。

最後に、もうひとつ例をあげよう。『Street Dreams』はZeebraの代表曲となった名曲であるが、この曲も言語学の知識があるとより深く楽しめる。この曲は次のように始まる：

> **ただ マイク握りたくて**
> **夜な夜な がむしゃらに ブラザー達かき分けて**

言語学の知識なしに字面だけ見ると、韻が踏まれているのは最後の[e]だけのように見え、日本を代表するラッパーの代表曲の最初の韻としては、「ゆるく」感じられるかもしれない。しかし、1行目末に現れる「**たくて**」＝[**takute**]の[u]は声帯振動が起こらず無声化し、このような[u]は完全に消失する。つまり、この「**たくて**」は[**ta.k.te**]と発音され、よってこの[k]は、2番目の音節の核（＝もっとも重要な要素）となって、2行目末の「**分けて**」＝[**wakete**]の[k]と韻を踏む。よって、一見ゆるい韻に見えるこの例は、[**a…k…e**]という3つの音節で韻が踏まれており、実はまったくゆるくない、むしろ「固い韻」であるということが見えてくる。

この言語学的分析をZeebraさん本人にお話ししたところ、

「よくぞ理解してくれた」と喜んでくださった。隣にいたMummy-Dさんも私のマニアックな分析に爆笑しつつ「良い解説ですよ〜〜」とお褒めのことばを私に授けてくださった。つまり、言語学というレンズを使えば、ラッパーたちがおこなっていることに対して「この人たちがやっていることは、これだけすごいことなんですよ」と第三者的な立場から証言することができる。このような客観的な分析が、ラッパーたちの意識を明確化し、将来的にはラップの技術・芸術の発展の一助になることがあるかもしれない。

本書では深くは触れなかったが、最近の私は、同じような分析が他の声のプロたち——声優や歌手、アナウンサー、それに歌人まで——に対しても可能であることが実感できるようになってきた。そして、言語学を研究する意義はここに（も）あると感じられる。ひと昔前までは「言語学なんて何の役に立つんですか？」と聞かれると、「すみません……でも好きなんです……。」と肩身の狭い思いをすることが多かった。しかし、今の私なら「このような視点を提供できることは非常に大事なことなんですよ」と、胸を張って答えられる。

## あるラッパーとの思い出

私は大学教員ではあるが、文学部や理工学部といった学部所属ではなく、研究所勤めである。「それがどうした」と思われるかもしれないが、研究所では第一の仕事は研究なのである。「あれ、先生の仕事が研究って当たり前じゃないの？」と思った方も少なくないだろう。しかし、大学の先生には「研究」と「教育」（と「雑用」）が課せられる。その「教育」の部分が、私の場合、幸か不幸か他の先生に比べて非常に少ないのである。

いや、まぁ、正直なところを言えば、「幸」であろう。そうでなければ、これだけたくさんの著書を世に送り出すことはできなかったと思う。同分野の先生に「来学期の授業はどれくらい教えるんですか？」と聞かれた場合、「えーっと、怒られるかもしれないんですが」と前置きをして、自分の授業の少なさを白状することにしている。日々、授業に時間を費やしてらっしゃる先生たちに敬意を持って、私は研究と執筆に専念させていただいている。ありがたい話である。

しかしである。教えないということには負の側面もある。第一、人間は教えることによって初めて物事を理解すると言っても過言ではない。教えるということは他人に理解してもらうことである。自分が理解していないことは、他人にも理解してもらえない。というわけで、まったく教えない研究人生もやはり何かが欠けている気がするので、文学部にお邪魔して授業を持たせてもらったり、他大学で非常勤講師を務めさせてもらっている。これまたありがたい話である。

しかし、それでもゼミを持ってはいないので、基本的に学生たちとは「1回授業を取ったらバイバイ」。毎年、数十本の卒論を指導するという大変さはない一方、「私は川原ゼミの出身です！」という若人を育成できないのは正直、寂しい。酒は飲めないし、早寝早起きがすっかり習慣化しているので、ゼミでの飲み会には憧れないが、ゼミの学生と仲良くランチぐらい食べてみたい。卒業式に出席して、教え子を世の中に送り出してみたい。卒業した学生からふと連絡をもらって、再会を祝ってみたい……と妄想を膨らませてみることもしばしばだ。

はてさて、そんな私にある事件が起こった。例の2020年春、コロナ禍初期の盛り上がったオンライン授業のときである（⇒第4章）。とある女子学生からメールが来た。そのメールをそのまま晒してしまいたい気もするが、さすがにそれは憚られるので、要点をまとめると：

- 自分は湘南藤沢キャンパス（SFC）の学生である。
- 自分自身ラッパーである。
- 音の響きとか独自に勉強していたのだが、
  体系的に学びたいと思っていたところ、
  （変にテンションの高い）川原先生のシラバスを見つけた。
- Zeebraさんと私の対談も読んで感動した。
- というわけで授業に出席していいですか？

断る理由はなかった。ちょうどラップに関するグループワークを課したところでもある。第4章で強調した通り、オンライン授業になった「おかげ」で、SFCの学生が気軽に私の授業に参加できるのだ。それに、私ひとりでラップあるあるで盛り上がるより、本職が居てくれた方が良いだろう。というわけでOKを出し、彼女はKダブ先生の授業も、晋平太先生の授業もノリノリで参加してくれた。参加してくれただけでなく、当然のごとく質問し、そして晋平太先生とはサイファーまでくり広げた。

その後意気投合した我々は、晋平太先生の授業の公開版に取り組むこととなった。というのも、当時コロナ災禍が渦巻く中、苦しんでいたのは、大学生だけではなく、中高生も同じであった。特に修学旅行の中止などに伴う苦痛の声は色々なところで耳にしていた。ならば、YouTubeでも大人気の晋平太さんの授業を、オンラインだけど公開で開催して、世の中の人たちに無料で届けようではないか。大学生にもあれだけ好評だったんだから、きっと中高生も喜んでくれるに違いない。そこで『ラップで磨くことばの力』と銘打って、世間一般に募集をかけた。

この私の気持ちに共感してくれた例の学生は、準備を手伝ってくれたのだ。手伝ってくれたどころか、美的センスを母親の胎内に置き忘れてきた私にかわってポスターを制作したり、ネット上で宣伝を打ってくれたり、他にもアシスタントができる学生ラッパーを集めてくれたりと八面六臂の大活躍である。このイベントはオンラインで2回開催したのだが、彼女がいなければ絵に描いた餅で終わっていたであろう。しかも、時代の流れにかろうじてしがみついている私と違って、彼女はデジタルネイティブである。「Twitterでタグ付けしてもらって、感想を募りましょう！」などと私自身からは絶対出てこない発想が彼女からはぽんぽん出てくるのだ。~~エゴサしたい放題だ、きゃっほい~~。

この講座では、前半戦は、晋平太先生にヒップホップの歴史の解説や基本的なラップの作り方の解説をしてもらい、後半戦は、晋平太先生、EGO（イーゴ）先生、TKda黒ぶち先生が、それぞれの部屋に分かれてラップの実践授業をおこなった。ちなみに、私は各部屋でトラブルがないかの見回りや、部屋を移動したい人の対応に集中していたのだが、2回目の開催時には、TKda黒ぶち先生に見事につかまってラップさせられた（させていただいた）。そのときの、例の学生のニヤニヤした顔が忘れられない。

その優秀すぎる学生は、1回目も2回目も、頼まれもしないのに報告書を提出してきた。1回目の反省点として「川原先生がラップしなかったこと」と書かれており、2回目の良かった点として「川原先生がラップしたこと」と書かれていた。彼女はどうしても私にラップをさせたかったらしい。

さて、これは個人的な習性なのだが、私は学生とは基本的に距離を取るために、「名字＋さん」で呼ぶ（いや、ほとんどの大学の先生がそうだと思うけど）。如何にアメリカ生活が長いとはいえ、中途半端にフレンドリーさだけ持ちこんで、誤解されるのはまっぴらだ。中には仲良くなる学生もいて、その場合、男子学生は名前で呼べることもなくもない。しかし、女子学生はやっぱり基本「名字さん」に留まる。

そんな私だが、唯一の例外がいる。公開ワークショップのときに、協力者として「名字さん」と呼んだところ、「今日はラッパーのしあとして参加していますので、しあでお願いします」と言われたことがきっかけだ。

それ以来、彼女は私が唯一名前を呼び捨てにする学生となった。そう、この学生こそが「しあ」である。

これだけでは、しあと私の個人的な思い出話になってしまうかもしれないが、大事なメッセージもいくつか隠れている。まず、しあが私に連絡してくれたこと。どうやら世間では大学の先生にメールすることがハードルが高いと思われているようなのだが、私としては積極的にメールを送っていいと思う。最悪、無視されるだけだ。「メールを送ってくるなんてけしからん」と怒るほど暇な人もいないだろうし、そんなレアな返事をもらったらプリントアウトして額縁に飾ってしまいなさい。

それに、しあは私が持っていない技術をたくさん持っていた。デジタルネイティブの彼女に比べれば、私は機械音痴な親戚の叔父さんである。公開オンラインワークショップの準備を機械音痴のおっさんひとりでできるわけがない。それに、「ラップを題材に本を書きませんか」という企画が来たときに、「私ひとりでは絶対できないけど、しあとならばできる」という感触があった。そう、学生であっても、先生ひとりでは成し遂げられないことを一緒に成し遂げることができるのだ。本書が世に出ているのであれば、それはこの命題の偽らざる証明である。

彼女のような若い学生の行動力に、私は日本の明るい未来を感じる。

というわけで、第3部からはしあにも著者として活躍してもらおう。

しあからのコメント

私は高3のときに「ラッパーになりたい」と心に誓い、
大学入学直後から学校の中にある広い芝生で
サイファーをしたり、ブレイクダンサーの友人と
ヒップホップサークルを作ったりしていました。
そんな中で、当時の自分に足りていないのは
「言葉そのものの知識だ!」と気づき、何から学べばいいのだろう、
と思っていたときに出会ったのが川原先生の授業です。
実際に受講してみて、言語学って面白いし、
何気なく踏んでいた韻のことがよりよく分かって、
ことばやヒトに対する関心が高まりました。

# 日本語ラップの現在地

インタビュー聞き手

川原繁人・しあ

Tkda黒ぶち

1988年生まれ。埼玉県を拠点に活動するラッパー。高校生の頃からラップを始め、テレビ朝日の人気番組『フリースタイルダンジョン』の3代目モンスターに就任。現在、テレビ朝日『フリースタイル日本統一』に出演中。トレードマークは黒ぶち眼鏡。

第8章

# ネガティブこそ武器になるラップの世界

聞き手

しあ

長崎生まれの福岡育ち、東京在住。2016年にラップを始める。2021年に1stアルバムをリリース。2022年に期間限定で楽曲『スシロー行きたい』がスシロー全店で流れた。幸せのコップをあらゆる形で満たすことを信念に活動中。

＋

川原繁人

第1部・第2部で活躍した言語学者。ラッパーではない。

## 劣等感の蓄積で切り開いたラッパーの道

川原　今日はサポートにまわるから、しあ、がんばって。

しあ　はい。今日はよろしくお願いします。早速ですが、まずはTKda黒ぶちさんがラップを始めた経緯からお話をうかがっていこうと思います。

TK　そもそもはDJがやりたかったんですよ。友だちの兄にその界隈の人がいて、紹介してもらおうと思ったら、なぜかラッパーになりたい少年で話が通っていて……。そのお兄さんが怖い人で（笑）、本当はDJやりたいって言い出せなかったんです、ビビっちゃって。結局、そのときに小節の数は16小節で、韻っていうのは母音を合わせて4拍目、小節の末尾で踏むのがいいんだよ、というラップのいろはを教えてもらったんです。

しあ　その後、やっぱりDJやりたいとはならなかったんですか？

TK　ラップ始めて結構すぐに相方ができて、初ライブをやったんですよね。ライブ直後、当時の相方に「DJやりたい」って言ったら、「ラップやっていくんじゃねぇのかよ！」って怒られて。今思えば、ありがたい言葉です。ただ、憧れはあったのでレコードはずっと掘っていましたし、実際にDJをやることもありました。

しあ　ラップを軸にやっていこうと決めたきっかけはありましたか？

TK　本気でやっていこうと思ったのは、失恋がきっかけでした。失恋というと少し湿っぽいですけど、その1点だけでなく、それまでの劣等感の蓄積と言いますか……。そもそも運動神経が悪いからスポーツ全般がだめで。ルックスもあんまりですし、サボり癖があって、勉強もできない。母子家庭で育ったんですが、当時は「母子家庭＝恥ずかしい」みたいな空気を感じ取って、必死で隠していましたね。

しあ　いくつぐらいから、そういった劣等感を自覚していたんですか？

TK　幼稚園ぐらいかな。幼いながらに自分の家が、隣近所と違うことが分かっていたんでしょうね。母親しかいない家庭は普通じゃないのかなとか、あんまりいいことじゃないのかなとか、自分で勝手にネガティブな方向に捉えていた節もあると思います。これは幼馴染みから聞いて初めて知ったんですけど、全然笑わない子だったらしいです。本当に自信を持てるものがひとつもなかったんです。

しあ　劣等感とラップ、一見するとすごく離れた存在のようにも思えます。

TK　ラップでは劣等感とか、世間的にネガティブに捉えられていることが全て武器になるんです。それを知ったから、ラップでやっていこうと思えたのかもしれません。ほら、劣等感なら蓄積がたくさんあるから。例えば、伝説と評されている『さんピンCAMP[1]』の音源を聴くとイカつい大人たちが自分の弱みを言葉にして素直にさらけ出していたり、そんなことまで言っちゃっていいんだみたいなことを表現したりしているんですよね。「ヒップホップという文化はこんなにも懐が深いのか！」と感じさせる音を聴いたり、自分でラップをするにつれて、だんだんとその面白さや重要性に惹きつけられていったんだと思います。

しあ　当時はどんな音楽を聴いていたんですか？

TK　入り口はRIP SLYMEでした。まず聴き心地の良さというか、「何だ、これ！」ってなって。そうしたら当時の同級生が「そんなのばっか聴いてないで、これ聴けよ」と渡してくれたのがLAMP EYEの『証言』とBUDDHA BRANDの『人間発電所』だったんです。のちにRIP SLYMEもカッコいいと分かるんですけど、その

1　1996年に開催された、大規模なヒップホップイベント。

ときはよりハードコアなもののほうがカッコよく見えたんです。そういう意味ではいわゆる『さんピンCAMP』のメンバーの曲、96年ぐらいの日本のヒップホップにすごく影響を受けていると思いますね。

しあ　周りも日本語ラップを聴いてる人、多かったですか？

TK　いや、少数派でしたね。僕含めて3人くらい。でもやっぱり良いものなので、MDに焼いて周りに配ったりしていました。そうすると聴いてくれるんですよね、みんな。広めてました、地味に。

## MCバトルと出会い劣等感を乗り越える





しあ　MCバトルは、1対1でフリースタイル（即興）の技量を競い合うものですよね[2]。

TK　はい。僕はラップを始めて2ヶ月後ぐらいにフリースタイルを習得しました。はじめはそんなに興味なかったんですけど、『B BOY PARK[3] 2002』の決勝で、漢さんと般若さんがバトルしてるのを見て、カッコいいなと。MCバトルって、ただのけなし合いにみられてしまうことがあるんですけど、そのバトルはそんなことは微塵もなくて、お互いの価値観を真正面からぶつけ合っていたんです。僕にはその姿がすごく美しく見えました。

しあ　その衝撃の出会いがTKda黒ぶちさんをMCバトルへと導いたんですね。

TK　そうですね。実は初めて出た日は昼夜2回、MCバトルがあって、初戦は1回戦負けだったんです。だけど、夜は準優勝。一日にして敗北と勝利を両方味わいまし

2　2対2や3対3等、様々な形式のバトルがある。
3　1997年から2017年の間、夏に開催されたヒップホップイベント。

た。それまで完全な負け犬人生で勝つことなんてなかったんで、すごいインパクトでしたね。勝利の味を知ったことも、その振り幅も。

しあ　一日に天国と地獄……すごいですね。

TK　負けもしたんですけど、結果的に勝ったことですごい自信になりました。俺も勝てるんだと。自分の中の劣等感を歌うことで、同じ痛みを持つ人の何かになる、そんな感覚もありました。

しあ　MCバトルは勝つこともあれば、負けることもありますよね。負けたら逆に劣等感が増してしまう、そういう不安はありませんでしたか？

TK　それはなかったですね。一日の間に勝ち負けを両方体験したから、感覚がバグったのかもしれません。負けたとしても、次は必ず勝てるはずだと思えたんですよね。

しあ　一種の成功体験ですね。

TK　昔、野球にのめり込んでいた時期があったんですけど、どうしても運動神経の壁を越えることができずに、諦めてしまったんです。でも、MCバトルは熱中すればするほど、努力すればするほど、結果が返ってくる。野球と違ってダメにならなかったんです。自分に合っているんだろうなという自覚もありました。MCバトルに出会って、劣等感を乗り越えたといっても過言ではないかもしれません。

しあ　今はYouTubeもありますし、比較的簡単に練習できますけど、当時はどんな風に練習をしていたんですか？

TK　練習方法は2つあって、1つは今もあると思いますけど、サイファー[4]ですね。クラブイベントの待ち時間とか、みんな暇してて、そうなると誰からともなく始まるんですよね。それに混ざったりしていました。もうひとつはひた

4　路上などでラッパーたちが輪を作り、フリースタイルのラップを披露し合う場。

すらインスト[5]かけながら原付に乗って、ひとりでラップしていました。景色が移り変わるんで、その場、その場に現れる看板で韻を踏んだり、そこからトピックを広げたりして、技を磨いていきましたね。

しあ　MCバトル以外に楽曲も制作されていたんですよね。

TK　楽曲制作は見よう見まねでしたね。そもそもは2人組だったんですが、半年ぐらいで解散してソロになったんです。そこからひとりで書き始めることになったわけですけど、今まで味わってきた劣等感を歌った曲とか、ひとりだからこそ書ける曲があることにも気がつきました。例えば、『負け犬』って曲はまさにそんな曲で、初めて楽曲の持つパワーを感じた曲でもあります。負け犬として生きてきたけど、ラップやヒップホップに出会って人生が変わったっていう実体験を歌った曲でした。そしたら、リスナーに同じ体験をした人が現れて、この痛みは俺だけじゃなかったんだって再確認ができたんです。さらにリスナー同士が『負け犬』を聴くと痛みが癒やされるよねって言い合っていて、それを聞いた俺はさらに癒やされて……。そこには、文字通りポジティブな連動しかなくて、まさにネガティブがひっくり返るパワーを感じたんです。




## 連動するフリースタイルと楽曲制作

しあ　ラップには、リリックを書き留めて歌う楽曲制作と、即興でラップをするフリースタイル、大きく2つあると思いますが、それぞれの良さは何だと思いますか？

TK　これは自分の中で良かったなって思っていることなんですが、僕、人とすぐに仲良くなれるタイプじゃないんですよ。でも、フリースタイルがあればうまくいく

5　インストゥルメンタルの略。歌が入っていない、演奏だけの楽曲のこと。

というか。例えば、誰かと10分フリースタイルしたとしますよね。そうすると一晩飲んだくらいに、距離がぐっと近づくんですよ。

しあ　フリースタイルでセッションすることは、コミュニケーションツールのひとつですね。

TK　当時、クラブでやっていたサイファーもそうで、見ず知らずの人でもフリースタイルやれば、それで仲良くなれるんですよね。

しあ　では、フリースタイルの中でも、バトルにおける面白さって何でしょうか？

TK　MCバトルはその人としか生み出せないものというか、その瞬間、そのビート、その空気感……唯一無二の作品みたいなイメージがあります。ジャズの「1988年10月ロンドン公演」みたいに一度きりのものなので、なるべく高尚な高め合いを求めているんです。世代とか考え方とか色々あるし、実際は噛み合わないこともあって、そこは難しいですが。今では映像に残ることは珍しくないですが、僕がMCバトル出まくってた時代はレコーディングされるものじゃなかったんですよね。その場限りの人と人とのスパークで、どれだけ美しいものが生まれるか、みたいな。

しあ　楽曲制作とフリースタイルが相互作用することはありますか？

TK　人間のDNAに刻み込まれたリズムとか、脳みそが解釈する音の感覚とか、なんていうんでしょう。学問とか理論になる手前の感覚みたいなものをフリースタイルではすごく使うんです。直感的に音をキャッチしてリズムを生み出すので。そこが鍛えられたことは、楽曲制作にもすごく反映されているなと思います。それから、楽曲制作はひとりで仕上げるものなんですけど、その手前にはいろんな人の話を聞いて、いろんな人の感情に触れてっていう過程が必ずあって、ある意味で連動してるのかなと思うんです。フリースタイルで知らないところに行くことで裾野が広がって、それを持ち帰ってきて、楽曲制作に変えていく。僕の中では、地続きな感じがあります。

## 人生を変えた『フリースタイルダンジョン』

しあ　最近では楽曲制作、フリースタイルで培ったものを教える側として役立てることも多いと思います。なぜ、教える側に足を踏み入れたのでしょうか？

TK　どんなに良いものであっても、人に認知されないと語り継がれなくなっちゃうんですよね。作品としては美しくても結局は風化していってしまう。僕がすごく刺激を受けた村上隆さんの『芸術起業論』（幻冬舎）にも書かれているんですが、みんな良いものは作るんだけど、その広め方を知らない。だからこそ、できる限り人に知ってもらう機会を多く作りたいと思っています。それがメディアでのMCバトルだったり、『フリースタイルティーチャー』（テレビ朝日系の番組、現在は終了）だったり、『ラップで磨くことばの力』（川原が主催したオンラインラップ講座）だったりですね。最近はMCバトルが認知されつつあるんで、それが入り口になっている感じもいいですよね。そこに案内人として、この方角ならあっちですよ、あの方角ならこっちですよと示す役割を担いたい気持ちもあります。

しあ　『フリースタイルダンジョン』の3代目モンスターになった頃から、活躍の場が広がった感じがします。

TK　そうですね。背水の陣だったんで。実はそれまでは、サラリーマン生活との二足の草鞋だったんです。

しあ　どれくらいサラリーマンとして働いていたんですか？

TK　10年弱ですね、残念ながら音楽だけで食える状況ではなかったので。そもそもサラリーマンは一度経験してみたいと思っていたんです。というのも、僕はハードコアな世界をラップするというよりは、みんなが感じるリアルをラップにしたいという気持ちが根底にあったので。大学卒業後に就職するといういわゆる一般的なルートを歩んでおきたいなと思っていました。実際は1年フリーターしてから就職したんですが、フリーターとして経験積んでいないと言えないこともありますから、それもよかったかなと思っています。

社会人を経験して、同じストレスを感じている奴がラップしている方が親近感もわくだろうし、そういう「声なき声」を声にしていくのもヒップホップカルチャーだと思うので。現実的には制作費を稼ぐ意味合いも大きかったですけどね。

しあ　最終的に脱サラしたきっかけはありますか？

TK　交通事故にあったんです。自転車でこけただけなんですけど、打ちどころが悪くて、手術して、入院になっちゃったんですよ。そのとき、骨折は緊急性がないから端っこの病棟にいて、メインの棟にいくときには隣の病棟を通るんですよね。その病棟っていうのが症状が重い患者さんたちがいるところだったんです。それを目の当たりにした僕に、やんちゃな入院患者のおっちゃんが「お前もいつか死ぬんだから、今のうちに好きなことやっとけよ」って言うわけですよ。そこで一回、好きなことでどれだけいけるのか試してみようと思えたんです。

しあ　それはいくつのときですか？

TK　29歳のときでした。『フリースタイルダンジョン』にも出ていて、2枚目のアルバムを出すくらいの時期ですね。アルバム制作にお金使いすぎてしまって、大赤字。預金残高が3万円を切って、翌月生活していけるかどうか……という状況だったんです。『フリースタイルダンジョン』の3代目モンスターは6枠中、1枠だけトーナメント戦で決めることになっていて、まさに背水の陣で挑みました。「これで勝たなきゃ、食えない！」みたいな。もしだめだったら、もう1回履歴書書くくらいの覚悟でしたね。結局、勝って、3代目モンスターになって、おっしゃってくださった通り、道がぐっと広がりました。

## メンタルゲットーを解放するラップ

しあ　『フリースタイルダンジョン』の後続番組『フリースタイルティーチャー』はどんな番組ですか？

TK　芸人さん、アイドルさん、タレントさんなどにラップを教えて彼ら・彼女らが戦う番組です。

しあ　人に教えるのは、初めてだったんですか？

TK　友だちがMCバトルに出るからスパーリング（模擬バトル）してとか、野良的に教えることはありましたが、こういう界隈でない人に教えるのは、初めてでしたね。お誘いを受けたとき、制作の人には、「捕まるリスクが少なそうな人を集めた」って正直に言われました（笑）。でも頂いたチャンスではあるじゃないですか。だから、きちんと全力でやりましたね。そうしたら、その後も呼ばれるようになっていったという感じです。

しあ　TKda黒ぶちさんにとって『フリースタイルダンジョン』とか『フリースタイルティーチャー』って、やはり大きな存在ですか？

TK　めちゃくちゃ大きいですね。『フリースタイルダンジョン』が人生の潮流を変えたのは間違いありません。でも僕だけでなく、ヒップホップシーンの潮流もあの番組の登場を機に変わったんじゃないですかね。きちんとマネタイズできる、食べていける界隈になりましたよね。昔はラップで食べていける人たちなんて、ほんの一握りでしたから。

しあ　北海道で企業研修をやっているというお話も耳にしました。

TK　銀座にあるお店で飲んでたときに、「ラップやってみてよ」っていう無茶振りをされたことがあったんです。昔はあれ、嫌いだったんですけど、一周回って、今は結構好きですね。知らない人にどれだけ、ラップの良さを伝えられるかみたいなある種、使命感みたいなものが発動するんです。トレーニングもかねて、本気でやるんですけど、それを見た社長がその場で、「うちの会社で取り入れよう！」って言ってくれたのがきっかけです。

しあ　すごい！　即決だったんですね。どんな企業だったんですか？

TK　北海道のヤブシタという、グループで15社ある結構大きな会社です。ゴルフとか農業とか、特殊な研修を色々やっているらしくて、そのひとつにラップ研修を入れたいと。理由を聞いてみたら、瞬発力、語彙力、そして話す力が鍛えられそうだからと言われました。よく三大欲求とか、三大料理みたいなのあるじゃないですか。そんなノリで"力"で言ったら、腕力、学力の次にくるのは、「話す力だ」と。確かに、と妙に納得したことを今もよく覚えています。例えば怖い不良に絡まれたときに、殴られないためにはどういう言葉を使ったらいいのか、昔はよく考えていました。僕自身、話す力で苦難を乗り越えてきた経験が多かったんです。

しあ　ラップはもともと、暴力に発展しないための解決手段のひとつですもんね。

TK　怖いし、その上運動神経も悪いし、勝てる余地はない。でもどうにか切り抜けなきゃいけないっていうときは、言葉の力で乗り切ってきた実感がありました。

しあ　実際コミュニケーションで解決できることは、たくさんあるのかもしれません。

TK　ニューヨークでは、トラブルを避けるためにラップしてるっていう人が結構多いって言いますしね。例えば、ギャングに囲まれて拳銃突きつけられてもいいラップしたら、「お前イカしてんじゃねえか」って生きのびるきっかけになったとか、環境がスラムすぎるけど、ラップに没入できる時間だけは救われるとかそういうニューヨークラッパーの言葉を聞くとラップの先に平和的解決があるような気がしますよね。

しあ　アフリカ・バンバータが築いた「血を流すことでなく、ラップやダンスで平和的に解決しよう」っていう、ヒップホップの精神が、今でも当たり前におこなわれていることがすごいなと思います。

TK　アフリカ・バンバータがいた60年代後半のブロンクスは、治安がとにかく悪く、ドラッグや犯罪が蔓延していて、正直手のつけようがない状態だったと思うんです。でもそういう極限の状態だからこそ、生まれたアートフォームがヒップホップなんですよね。

しあ　そういったヒップホップの成り立ちに興味を持ったきっかけはあったんですか？

TK　大学時代のゼミの先生が、ブラックミュージックとか黒人文化、世界情勢とか革命家に精通してて、色々教えてくれたんです。この本が良い、あの本が良いとかだけじゃなく、「マルコム・Xは絶対知るべきだよ」とか「レゲエ文化の始まりはエチオピア皇帝なんだよ」とか、めちゃくちゃコアで。アメリカのネガティブな部分とかチェ・ゲバラとキューバの革命とか、アカデミックなことを教えてくれたのは大きかったですね。

しあ　大学でそんな素敵な出会いがあったんですね。

TK　本を読むようになったのも

その頃ですね。ある雑誌で、自分の大好きなラッパーたちが「本を読め、活字に触れろ」と言っていて、それにめちゃ影響を受けて、図書館に入り浸っていました。そのときに『ニューヨークのとけない魔法』（文春文庫）という本を読んだんですけど、その著者、岡田光世さんが「日本には拳銃もないしドラッグも蔓延していないから、物理的なゲットーはないけれど、メンタルゲットーがある」みたいなことを書いていたんです。

しあ　メンタルゲットー。すごい言葉ですね。

TK　そういう意味で日本には真のヒップホップが根付く土壌があるとも記してありました。読んだのは学生時代で、そのときは実感できませんでしたが、今ならすごく理解ができます。メンタルゲットーになってしまう原因は本当に色々だと思うんです。不況とか貧困とか、ハラスメントとかすごい色々な要素が絡み合っているんですけど、結論的にしんどいことだけは間違いないじゃないですか。それを癒やしたり、カウンター的にぶっ壊したり、ラップにはそういう力があると思っています。

しあ　確かに今の日本には何かを抱えてギリギリの状態で生きている人が多いようにも思えます。そういう人にこそ、ラップが必要なのかもしれません。

TK　そうなんですよ。ラップをサバイバルツールとして活用する方法を企業のラップ研修では話しています。

しあ　どんな風に教えているんですか？

TK　教えるというよりは、解説しているというイメージですね。そもそもラップって教わるものじゃないんですよ。韻を踏むとかフローするっていうのはあくまで手段であって目的ではないんです。最大の目的は、表現することですから。じゃあ、実際どんな観点で表現するのかというときに、まずはネガティブなものをプラスに変えてきたヒップホップの文化的背景を紐解くんです。ニューヨークと日本、60年代と現代、場所も時代も異なりますが、どこかに重なる部分があるんですよね。そうやって進めていくとみなさんラップって、意外に身近なものだと分かってくるんです。ひとつのツールとして楽しめばいいんだって。さらにいえば、楽しみ方だって人それぞれで、ヒーリングにする人も起爆剤にする人もいる。そういう自由度があることも伝えるようにしています。

しあ　研修で、手応えはありましたか？

TK　最初のヒアリングで会社の不満を聞いたら「こういう研修が一番嫌です」って答えたチームがいたんです。「なんで繁忙期にラップなんかしなきゃいけないんですか！」って。最初はやりづらそうだなと思っていたんですが、半年後の大会では、そのチームが一番楽しんでいたんですよね。ラップも聴いたことない、まったく興味ない、会社の研修でやらざるを得ないっていういわば一番、ラップに対してネガティブな感情を持っていた人たちが、一番ポジティブに楽しんでいる姿を見たときには、ヒップホップの底知れないパワーを感じました。

しあ　ラップは身ひとつでできるところにも魅力を感じます。

TK　いい意味でハードルが低いですよね。話し言葉と歌の融合というか、両者のいいとこ取りをしたアートフォームだなと思うんですよね、ラップという技法は。



## スーツスタイルでラップを論じる重要性

しあ　私自身、ラップをやっているんですが、見た目の印象からか、驚かれることも多いんです。世の中ではまだまだ「ラップ=不良」

という印象が強いように感じます。

TK　ラップを始めた当時、眼鏡掛けてラップやる人なんてほとんどいなかったんで、「何てめえ眼鏡掛けてラップしてんだよ」とか、「眼鏡がラップしやがって」とバカにされることもありました。それでも言いたいことがあるんだという皮肉も込めて、TKda黒ぶちという名前にしたんですが、ここにもヒップホップの懐の深さが表れていますよね。いろんな人が表に出ていくことで、印象が少しずつ変わっていくのかなと思います。

しあ　今はもうトレードマークですよね、黒ぶち眼鏡。よく考えるとTKda黒ぶちというお名前もラップをポピュラーにしていくひとつの手段のようにも思えます。とっつきやすいというか……。

TK　そうかもしれませんね。

しあ　ラップの本質を伝えるためには、どんなことをしていく必要があるのでしょうか？

TK　そもそも教えるとか言っていますけど、教わるものじゃないんですよね。答えがないというか。でも、チャンスを逃したくない気持ちは強いですね。先ほど話題に上った、ギリギリで生きている人たちがラップをサバイバルツールとして使えたら、ほんの少しポジティブになれるかもしれないし、ちょっとだけ楽に生きられるかもしれないじゃないですか。そういう機会を逃さないためにもどんどん表に出ていって、「ラップっていうのは、誰でもできるものなんだよ」と伝えていきたいです。どうやったらより分かりやすく伝えることができるのか、常に考え続けています。

しあ　最近出されたアルバム『The 1st Encounter』はビートが聴きやすい印象です。楽曲についても伝わりやすさを意識していますか？

TK　それは意識をしていますね。マナーだと思うんですよね。いきなりスウェットで現れて、「ラップやべえんだよ」って言うよりは、スーツをきちんと着こなして「この文化すごいんですけど、聴きに来ません？」って言ったほうが信頼感があるじゃないですか。社会への反抗を前面に押し出すスタイルっていうのも、もちろんありだとは思うんですけど、自分のスタイルとしては社会へのリスペクトを持った上で、どうポジティブに伝えていくかということにこだわりたいですね。

## リスペクトがつなぐ知らない世界への扉

TK　今僕たちがラップをしているここは、先人たちが切り開いてきてくれた場所です。脈々とつながってきたものを感じます。そんな場所があるからこそできる、そういうリスペクトは忘れたくないと強く思っています。ただ、一方で特定の何かだけに敬意を払っていればいいわけではないとも思うんです。実は眼鏡をバカにしてきた奴の隣には、僕のスタイルを理解して、寄り添ってくれた不良ラッパーもいたんです。どこの誰だからとか、どの立場だからとか、どんな見た目だからということではなく、常に相手に対してリスペクトをする、そういう姿勢が大切だなと感じています。

しあ　MCバトルはラップを始めたての方もキャリアが長い大先輩たちも対等に戦います。ある意味では理想的な環境ですよね。

TK　実際、10代で初めてMCバトルに出たとき、CDでしか聴いたことのなかったスーパースターが目の前で僕相手にラップしている状況でした。憧れの般若さんとバトルしたときもそうですけど、地位とか年齢とか関係なく、対等にラップできることはまさにミラクル。言ったら、小学生の野球少年がイチローとか大谷翔平とすぐ野球できる感じですからね。

しあ　普通では考えられません。これも上の世代と若い世代がお互いにリスペクトし合っているから成り立つことですよね。

TK　そうですね。人と人が本当の意味で理解し合えるのは、MCバトルの大きな魅力ですね。

## ラップのはじめの一歩

しあ　実際にラップをしてみたい、そんな人はどんなことから始めるといいんでしょうか？

TK　言葉に慣れ親しむことですね。言語が基軸になって、広がっていくものなので。そこからリズム、そして韻を踏むという技法へと広がっていくんです。だから、あまり気負わずたくさんの言葉に触れてみてください。そこから好きだったり、面白いだったり、気になるだったり、なんでもいいから言葉を並べてみる。自分の環境や気持ちを言葉にしてみるのもいいと思います。音は無料で使えるビートがたくさんあるので、最初はそういうのを活用するのがおすすめ。自分の言葉を歌ってみる、これがラップの第一歩です。自分で歌詞を考えて、カラオケで歌ってみるような感覚です。こうやって聞くと、「できるかも！」と思いませんか？　日本のヒップホップやラップ文化は、まだまだ始まったばかりです。だから、本質の部分が見えづらいこともあると思います。これからもそれを分かりやすく伝えていけたらなと思っています。

第9章

# 子どもからお年寄りまで、誰もが楽しめる日本語ラップ

1983年に東京で生まれ、埼玉県狭山市で育つ。日本最大規模のラップバトル「ULTIMATE MC BATTLE」で2連覇を達成するなど、数々のラップバトルで王座を獲得。自身の夢について「全員が主役になれる世の中＝1億総ラッパー化計画」を掲げ、フリースタイルの伝道師として、企業や小学校、自治体などとタッグを組み、全国各地でラップの普及活動をおこなっている。

## 晋平太

聞き手

しあ
&
川原繁人

## どうやってサバイブしていくかを考え続けるカルチャー

しあ　今日はよろしくお願いいたします。まずは晋平太さんの自己紹介を含めてヒップホップやラップとの出会いについて、うかがえますか？

晋平太　僕がヒップホップに出会ったのは中学2年生のとき。ちょうど日本語ラップがアンダーグラウンドでブームになって、クラスのイケてる子たちが聴いていて、そこが入り口でした。キングギドラとか、BUDDHA BRANDとか、RHYMESTERとか。

しあ　ラップを始めた経緯は？

晋平太　クラスにラップが大好きな奴がいて、やり方を教えてもらったのが始まりです。彼がいろんな曲を教えてくれて、いろんな知識を与えてくれて、気づいたらヒップホップやラップがすごく好きになっていました。

しあ　単に好きで聴くというフェーズからプレーヤーになるには、越えなければならない山があるように思います。その辺りは、どうでしたか？

晋平太　僕の場合は、聴くのと同時に始めてた感覚ですね。ラップのいいところって、カラダひとつ、0円で始められるところにあると思うんです。始めるにあたって何も要らない。歌が歌えなくてもいいし、僕にとってはやれそうだなと思える表現方法だったんです。何より大きいのは、先ほど話に出たラップ好きのクラスメイトの存在。ヒップホップってこういうものでね、ラップで韻を踏むというのはこういうことでね、とすごく丁寧に教えてくれたんです。それと同時に、とりあえずやってみようぜと自然に促してくれました。

しあ　やるのが当たり前、みたいな。

晋平太　まさにそんな感じです。僕は彼のおかげもあって、自然にできると思えたんです。何もうまいラップをしなきゃいけないわけではない。これからラップに出会う人たちにもラップという表現方法に対して、「楽しそうだな、できそうだな」って思ってもらえると嬉しいですね。

しあ　すごくうらやましい環境です。始めたいと思ったときに、教えてくれる人がいるなんてなかなかない気がします。

晋平太　確かにそうですね。僕はクラスメイトの彼にすごく感謝をしています。彼に出会っていなければ、今こうやってラップをやっていることもなかっただろうから。今は昔に比べるとYouTubeとかのSNSから情報が手に入りやすいので、ラップも始めやすくなっていると思いますが、それでもはじめの一歩を踏み出すというのは、勇気が要りますよね。ハードルが高い。それは大きな課題としてあると思います。だからこそ、川原先生と一緒にラップを教える授業をやらせてもらったり、初心者が参加できるようなイベントを開催したりしています。

しあ　はじめの一歩のハードルは、思っているより高いですよね。

晋平太　楽しく始められる場があるといいんだけど、それがバトルになっちゃうと、より勇気が要りますよね。

しあ　本格的にラッパーとして活動し始めたのは、いくつぐらいですか？

晋平太　本格的に活動を始めたのは18歳ぐらいですかね。それから休んでいる時期やうまくいかない時期はありつつも、一度もやめずに今に至ります。

しあ　ラップがご自身に与えた影響を感じることはありますか？

晋平太　ラップを始める前というと今から20年以上前のことなの

で、もう分からないというのが本音です。ラップの影響を受けている時間のほうが、ラップの影響を受けていない時間よりもはるかに長いので。ただ、ヒップホップに出会ったことで、自分の人生を自分で作るというエネルギーをもらったとは感じますね。

しあ　具体的にどんなことでしょう？

晋平太　ヒップホップをやってきて思うのはオリジナルであることの素晴らしさ。誰かに似てる必要なんてなくて、むしろ似てたら僕らの世界では生きていけなくて、自分のスタイル・型が必要です。それが本当にカッコいい人もいれば、僕みたいな泥臭いタイプもいたりと十人十色。それは性格と同じで、自分で選んでるように思いますが、実際は選べていないんです。選ぶのではなく、ただそこには個性があるだけ。その個性を大切にすることを教えてくれるカルチャーですよね、ヒップホップって。それはラップだけじゃなくて、ブレイキンでもグラフィティでもDJでも同じ。そういう影響はすごい受けてますね。

しあ　個性を大切にするということは、人生の基本にも感じます。

晋平太　先ほども話に出ましたが、はじめの一歩ってすごく勇気が要りますよね。でもそれは、ラップだけじゃなくて、何でも同じ。ただラップは一度始めたら、どうやって進んでいくのか、どうやってサバイブしていくのか考え続ける必要がある。だからこそ自主性・独立精神が培われるんだと思います。とはいえ、ひとりではできないこともたくさんあるから、仲間と協力して叶えていく。そういう、人として当たり前のことが素晴らしいとヒップホップは教えてくれてる気がするんです。

## ラップの本質は遊び。崇高なものじゃない。

しあ　ULTIMATE MC BATTLE（UMB）の2連覇や数々の大会での優勝など、表に積極的に出ていた時代から、1億総ラッパー化計画[1]を打ち出すなど、プレーヤーだけでなくサポーターとしての役割も果たしている印象です。

晋平太　サポーターの役割を強めていこうと思ってやってるわけではないのですが、単純にそういうのが好きなんですよね。あとは正直に言うとそれをやることによって、プレーヤーとしての寿命が延びる、このシーンにより長く居続けることができるというところもあります。シーンはどんどん下の世代に託していかないといけない、でもまだそこに居たい気持ちもある。そうなったら新しい役割を作る必要があった。

しあ　具体的なきっかけがあったんですか？

晋平太　UMBの大会で司会をやって、全国を回ったことは大きかったですね。それまでバトルといえば、自分が出て戦うものでしたが、司会となると一日を成立させなくてはならない。大会の運営側に回ったことで、まるで異なる視点を手に入れたんです。それと同時に日本中にヒップホップがこんなにも広がっているんだと肌で感じることができました。

しあ　全国はどれくらい回ったんですか？

晋平太　ほぼ47都道府県で予選があって、全て回りました。こんな言い方するとあれですけど、驚くぐらいちっちゃい街での予選とかもあって、そんなローカルな街にもラッパーが30人とか集まるんですよ。それってもうひとつのコミュニティだな、と。改めてヒップホップってすごいなと思いまし

1　ラップでは、いつでも自分が主人公。「全員が主人公になれる世の中をつくりたい」「自分自身のことが好きな人をもっと増やしたい」という思いから生まれた計画。

たね。しかも、そういうコミュニティにも必ずサポーターがいるんです。自分がラッパーじゃない人も多くて。それに感銘を受けました。すごくないですか？　自分はラップやってないのに、大会をサポートしてくれるんですよ。そういう人たちのおかげで自分は今、ここにいるという事実を目の当たりにしましたね。

しあ　ラップが起点になって、各地域でコミュニティが育まれている。すごいことですね。つながりを感じますね。

晋平太　そうなんですよ。日本中にこれだけラッパーがいる、そしてそれを支えるサポーターがいる。その現実を知ったら、プロであるとか、ないとか、どうでもいいなと思ったんです。みんなそれぞれの人生を生きているわけで、結果的にその人なりのラップが必ずあるわけじゃないですか。それを表現したらいいなと。主婦でもおばあちゃんでも、子どもでもラップをしながら遊んだり、一日あったことを話してもいい。コミュニケーション手法のひとつですよ。もしくは自分を吐き出す、自己表現の手法。自分の人生を語ることなんてあんまりないけれど、それができてしまう土壌がラップにはある。そういうラップって実はすごく良くて、すっと心に入ってくるんですよね。みんなラップをやればいいという思いが根底にあるからこそ、サポーター側に回っているように見えるのかもしれません。

しあ　サポーター・教える側としての誘いは増えていますか？

晋平太　ありがたいことに。僕自身もやると楽しいし、何より「楽しい！」ってなっていく人をたくさん見ることができるから、お誘いは極力受けることにしています。例えば、この前は視覚障がい者の方たちにラップを教える機会を頂いたんです。自分の人生を音に乗せておしゃべりするようなカルチャーだということを説明して、やってもらうんですが、彼らは目が見えないという特性のために、健常者が経験していないことを経験しているんですよね。そこには僕たちが想像したことのない濃い人生がある。そういう人の人生を垣間見ることができるところもラップのいいところだなと改めて感じたんです。俳句や短歌とか、学校で作るじゃないですか。そんな感覚でいいから1回ラップしてみてほしいです。ハマらない人もいるかもしれないけれど、ハマる人もきっといると思うし、1人でもラップにハマるやつが増えたら、そこから広がって……。草の根運動的ですけれど、そういう意味合いも含めてサポーターの仕事は続けています。

しあ　ヒップホップの中でもダンスは体育の必修になりましたが、プロを養成するための授業ではないですもんね。

晋平太　ラップもやってみたら楽しいじゃんっていうのが広げられるといいんですよね。めちゃめちゃストリートの遊びですから。だからこそ誰でもできるんですよ。

川原　晋平太さんが教えている姿を見ていると、大丈夫だよと包み込む優しさが卓越していて驚かされます。そもそも人に教えるのが得意だったんですか？

晋平太　昔から得意だったかどうかは全然、分からないですね。ラップ以外のことを人に教えたことがないので。ただ教えているときは、さっきも話題に出たようにハードルを下げることを意識しています。無条件に大丈夫なんだよとまずは伝える。ラップなんて、仮にラップの出だしのタイミングを失敗したって、けがもしないし、死にもしない。だからそれにびびってるのは、意味ない。そういう気持ちが川原先生の目には優しいと映っているのかもしれないです。

## 教えることで再発見する、ラップの良さ

晋平太　コロナ禍になって教える機会がすごく減ってしまったんですが、埼玉県大宮のカルチャースクールでのラップ教室は続いています。埼玉大学の磯田三津子先生とおこなっているプロジェクト[2]で、月1回学校のない土曜日に子どもが集まるカルチャースクールで開催しているものです。来るのは「ラップが好き！　やりたい！」というわけではない、本当に近所の子どもたち。上は小学5年生、下は1年生で1回だいたい60分です。正直なところ、普通の子どもたちにヒップホップやラップの細かいことを教えたところで理解が追いつかないだろうし、韻踏んでとか、そういうのは通用しません。そこでどうしたかというと、リズムに乗せたおしゃべりだと教え、夏休みとかお正月とか、毎回テーマを決めて実際にチャレンジしてみるように促しました。

しあ　リズムに乗せたおしゃべり、分かりやすいですね。

晋平太　その中に半年ぐらい続けて通ってきてくれているカイトという子がいたんです。ラップを始めるときにまず名前を名乗るんですが、その名前が「カイトンカツマヨネーズ」。よく分からないけど、あだ名らしくて、面白いですよね。そんな彼があるとき、夏休みというお題でおばあちゃんの家に行ったエピソードをラップにしてくれたんです。おばあちゃんの家は千葉にあって、車で1時間もかかったけど、海に行けて最高だったとか。改めて最初はそれでいいんだと気づかされました。これなら、小学校低学年から始められるわけです。

僕が昔住んでた東村山で、ラップスクールをやらせてもらったこともありました。そのとき、70代、80代の人もいたんですけど、彼らはリズムが速すぎて乗れないというんです。そこで『さくらさ

2　詳しくは磯田三津子『ヒップホップ・ラップの授業づくり』(明石書店) を参照。

くら』のような語調の歌をラップっぽく歌ってもらうことから始めました。徐々にビートに乗れるようになってきたところで、ここでもまたおしゃべりをする感覚でラップをしてもらうようにしたんです。そうしたら、「息子から電話がかかってきて、出たら300万くれっていうから、振り込んだら、オレオレ詐欺だった」みたいなめちゃくちゃなエピソードとかが出てきて。他にも、昔の東村山は今とは全然違う景色で、乗りたい電車に走って近づいていったら、電車のほうが止まってくれたとか、今では体験しようのない当時の日本のエピソードがどんどん出てくるんですよ。カイトの話もそうですが、自分じゃ絶対、ラップにできないことを知ることができたのもよかったし、小学1年生から80代までできたわけですから、ラップの可能性を強く感じました。それこそ、川原先生と慶應大学の授業でやらせてもらったときも色々発見がありました。

川原　コロナ禍に入ってすぐだったから、Zoomでやりましたよね（⇒101ページ）。

晋平太　あのとき、あるラッパーが参加してくれたんです。僕がオンラインコミュニティで誘ったんですが、あれがきっかけですごく仲良くなって、今では一緒にバーベキューしたり、年に数回集まってラップする仲間になりました。ヒップホップに興味があるだけで、一気に距離を縮められる感覚がありますよね。ラップという軸があれば、僕みたいなラップを教える立場の人間が少し基礎をレクチャーするだけで、そこにいた人同士が友だちになっていろんな活動をするようになる、コミュニティとして成立するんですよ。そんな自分だけではつくり出せない素敵な風景に出会えることが多くて、それが一番楽しいし、最高だなと思います。

しあ　あの授業は私も含めて、みんなすごく楽しんでいました。

晋平太　そもそも大学の授業でこん

なことやらせてもらえるチャンスないじゃないですか。すごく光栄なことだなと思っていたし、楽しみにもしていました。でもコロナ禍初期で対面が叶わず、Zoomでやることになって、手探りでやるしかない部分はありましたね。僕自身、Zoomで教えたり、講座をするのはあれが初めてだったので。

しあ　対面との違いはありましたか？

晋平太　もちろん同じ場所にいた方が絶対にいいですけど、Zoomみたいにちゃんと顔が見えて、ラップが聴ければ、温度が伝わるということを知ったのは大きな学びでした。特に、自己紹介ラップ、最高でしたよね。あの瞬間、オンラインの中はハッピーな空間になっていたと思うし、みんなもそう感じたんじゃないかな。オンラインでもここまでできるのは、すごいことだし、新しい可能性を感じました。

しあ　実際に大学の授業で教えてみた感想はいかがでしたか？

晋平太　慶應の教授というと、世間から見ると権威のある人ですよね。川原先生のような人たちが、僕らのやってるカルチャーを後押ししてくれるということは、本当にありがたいことですし、こんなに心強いことはありません。日本には日本らしいヒップホップの定着の仕方があると僕は思っています。なんでもかんでもアメリカを真似る時代でもないじゃないですか。日本人が日本人としてヒップホップやラップって良いよねと思うには、やっぱり権威のある人が認めてくれることや実験や研究をしてくれることがとても大切だと思うんです。あの授業は、そういう意味で第一歩になったと思います。

　とはいえ、僕のやることはどこでも同じで一生懸命ラップを教える、楽しんでもらう、ハードルを下げる、それだけ。教えるなんてたいそうなこと言っていますけど、結局は自分でやるしかないので、基礎知識をレクチャーしたり、考えるきっかけを与える、それくらいですよ。

川原　もともとラップをやっていた学生は、しあともうひとりくらいだったのに、あの授業のあとに「挑戦してみたい！」と10人くらいがサイファー（即興のラップの掛け合い）に参加してくれて。90分の授業であそこまで学生たちを巻き込めたのはすごいなと改めて思いますね。

晋平太　あれは楽しかったです。

しあ　授業ではまずヒップホップの歴史に触れたところも印象的でした。

晋平太　よくも悪くも強烈なので、本来の意味をちゃんと知ってもらう必要はありますよね。「ヒップホップ＝不良」と考えられがちですが、環境を良くするためのツールだったわけで、ただの不良じゃないんですよ。表面上のことだけではなく、きちんとした中身を教えることも重要だと思っています。

## 自己開示しやすいアートフォーム＝ラップ

しあ　以前、スクールを作りたいとおっしゃっていたと思います。実際にどんな学校を作りたいなど、プランはありますか？

晋平太　学校を作りたいっていうのは、僕の夢のひとつなんです。中卒と高卒では社会に出たときに大きな違いがあるじゃないですか。でもヒップホップ好きだったり、ラップにハマりそうな子たちの中には、行きたい高校もないのに、高校行ってもしょうがないよな、と思ってしまう子もいるんです。そういう子どもたちに、ヒップホップを専門的に学ぶ学校が作れるといいなと思っていて。もちろんきちんと勉強もして高卒の資格が取れるような仕組みをどうにかして作れないかと何年も考えています。ヒップホップは誰のことでも助けることができると思うのですが、それが特に子どもたちや若い人たちの支えになると嬉しい。

ヒップホップを知ったおかげで人生がよくなったという人を増やすためにも学校があるといいと思うんです。もちろん、その学校を出たからといってプロのラッパーになれるとか、就職できるとか、そう簡単にはいきませんけど、きちんと体系的に学ぶことで精神的な支えにはなると思うんです。

しあ　ヒップホップが若者に届くというのはすごく共感できます。先生とか親とか、いわゆる大人から言われる言葉は全然入ってこないけど、ラップの歌詞だったら入ってくるみたいな経験は多くの人がしていると思います。実際、そんな若者たちに教えた、ハッシャダイのプロジェクトについても少し教えてください。

晋平太　ハッシャダイは「Choose Your Life」という理念を掲げて、いろんな学校を回り、若者たちに向けて、自分の人生の選択肢を増やそうとか、自分の人生を自分で選択しようとか、そういう熱い活動をしている会社です。中でも有名なのがヤンキーインターンというプロジェクト。中卒、高卒など、非大学卒の子どもたちを支援するサービスで、社会で何をやったらいいか分からず迷っている子たちを東京に呼び、無料で研修を受けさせて、仕事を紹介する、人生をやり直す手助けをするプロジェクトです。ヤンキーインターンに来る子たちは、シェアハウスでみんなで暮らしながらスキルを磨いていくんですが、そこは文字通り見ず知らずの人たちとの共同生活。新しい人間関係を築くために、自分のことを知らない相手に対して自己開示をしていく必要があるんです。その一環としてラップを教えることになりました。

　授業は全部で3回。最初にヒップホップの歴史を紐解き、次に簡単なラップの作り方を教えて、最終的に自己紹介ラップを作ってもらいました。自分がどんな風に生きてきたかという比較的重めのテーマだったんですが、16小節、2つとか3つ作れるだけ作ってきてもらって、それをみんなの前で歌ってもらったんです。するとそこにはすごくいろんな過去があるんですよ。不良やってた奴もいれば、ガチで引きこもっていた奴もいる。そういうやつらがびっくりするくらい自分の過去をさらけ出すんです。何十回飲みにいっても話さないような深いところまで、自然とラップにするんです。彼らには「自分の人生をなんとか自分の手で変えたい」というすごくポジティブな共通点があって、それがラップによって引き出されるという手応えがありました。

川原　自分のことを自分で理解した上で、そのありのままを表現するってすごい大事な経験ですよね。

晋平太　そう、なかなかうまくできないじゃないですか。普段なら僕もできないんですが、ラップの歌詞にすると自分自身の内面、そして自己開示していること自体も受け容れやすくなる気がするんです。

川原　ラップだと、自分をさらけ出せるような気がします。すごく不思議。

しあ　確かに不思議ですよね。初めて会った同級生とこの前1対1でスタジオ入ってセッションしたんです。そうしたら1時間後には、お互いの弱みを晒し合えるくらい距離が縮まってて自分たちでもびっくりしました。

晋平太　1時間フリースタイルセッションをしたの？

しあ　そうです。

晋平太　それはそう、なるよね。何より濃密な会話をしているのと同じですもんね。

しあ　私は恥ずかしがり屋なので対話だとこんな具合にはならないと思うんです。でもセッションなら、結構ズバズバ言えたりする。こういう人も多いのではないかな？と思います。

晋平太　初対面でいきなり身の上話始めたら、「こわっ！」となるけど、ラップならアリだからね。

川原　大学の授業でも初対面で、「昨日、彼女と別れました」ってラップで告白した学生がいましたね。

晋平太　普通の会話なら、知らねえよって話。でもラップだと面白いんだから、本当に不思議。自己開示しやすいアートフォームであることは、ラップの持つ強みでしょうね。

## ヒップホップの現在地と未来

川原　ネットが発達したことによって、情報を手にするのは簡単になりました。でもラップシーンのレベルも日々向上していて、逆に始めにくいという現象も起きているのかなと感じることがあります。

晋平太　確かに。平均値はめちゃめちゃ上がってますもんね。いきなりうまくなるしな。

川原　ラップが身近になった証でもあるのかな。

晋平太　そうですね。僕たちの時代よりずっと簡単に音源にアクセスできるようになりました。特に若い世代は、最初からSNSやYouTubeなどのプラットフォームで先入観なしにラップを見てくれるので、思いもよらないところに影響を与えていることがあって、驚くことも多いです。例えば、今度中学校の卒業旅行で東京に来る子が僕のYouTubeの撮影現場に遊びに来るんです。職場見学ってことで。

しあ　職場見学!?

晋平太　わざわざ地方の中学生が僕に逢いたいと連絡くれたんです。僕のYouTubeやMCバトルの動画を観て、すごく興味を持ってくれたみたいで。小中学生に認知される日が来るとは思ってもみなかったし、どうやって影響が広がっていくかなんて、自分じゃ全然分からないと改めて感じました。

川原　晋平太さんのYouTubeチャンネルの影響が大きいですね。

晋平太　ほかにも、僕と韻マンのバトルを見て、ラップ始めましたとかいう子がいて、もう異次元ですよね、僕ら世代からしたら。そういう意味で入り口は無限。影響の与え方もどんどん変化しているので、今の世代が次世代にどんな影響を与えていくかなんて、想像するのは不可能じゃないかな。10年前、日本のヒップホップが今みたいになるって誰にも想像できなかったのと同じように次の10年も、その先の10年も同じだと思います。でも信じてやり続ける人がいれば、きっといい方向に行くと思うんです。

川原　少なくとも今、変な方向に行っていることはないですよね？

晋平太　いい方向に行っていると思います。だって20年前なら、慶應大学の教授が言語学とヒップホップを絡めた本なんて出せなかったでしょうから。

川原　そうだったかもしれないですね（笑）。

晋平太　かもじゃないですよ。そんな人いなかっただろうし。ヒップホップが生まれて50年、日本にやってきて40年以上ですかね。より良くするにはどうしたらいいのか、考え続けた結果が今であり、これからもやっぱり考え続けて、表現し続けていく、それだけですよね。

Mummy-D

1970年横浜市生まれ。ラッパー、サウンドプロデューサー、役者。
1989年にヒップホップグループ・RHYMESTERを結成。日本語ラップを開拓したパイオニア。
唯一無二のラップスタイルとソーシャルな問題をユーモアを交えて表現するリリックは、
リスナーだけでなくアーティストからの支持も厚い。
まさに日本のヒップホップシーンを創世記から、
現在に至るまで牽引し続ける類稀な存在。

第10章

# 歴史を紐解いて考える Mummy-Dが見てきた日本語ラップの本質

聞き手

川原繁人 & しあ

# ラッパー世代年表

| 世代 | 年代 | |
|---|---|---|
| 第1世代 | 1980年代 | |
| 第2世代 | 1990年代 | |
| 第3世代 | 2000年代前半 | |
| 冬の時代 | | |
| 第4世代 | 2000年代後半 | |
| 第5世代 | 2010年代前半 | |
| 第6世代～ | 2010年代後半～<br>現在 | |

| 背景・出来事など |
|---|
| **黎明期**<br>●アメリカのヒップホップ文化を直輸入<br>●ブレイクダンスが日本でブームとなる |
| **日本語ラップ技術の確立**<br>●アメリカの文化を吸収して日本に帰ってきたヒップホップグループ等の登場<br>●ポップシーンで人気を得た曲が数曲登場する<br>●ヒップホップイベント『さんピンCAMP』がビデオに収録されたことにより日本語ラップが全国区へ広がる<br>●後の世代に大きな影響を与える |
| **アンダーグラウンドからオーバーグラウンドへ**<br>●「日本語ラップバブル」到来<br>●地方で活動するラッパーの活躍がさらに勢いを増す<br>●ポエトリーラップ・バイリンガルラップの隆盛 |
| |
| **激動のとき**<br>●第2世代の影響続く<br>●MCバトルシーンの広がり<br>●ラップ人口・自主レーベルの増加 |
| **雪解け**<br>●第2世代からの影響が減少<br>●活躍の場がインターネットへ<br>●MCバトルのテレビ番組によりラップがお茶の間へ広がる |
| **現在進行形で進化するラップ**<br>●他ジャンルの音楽と融合した楽曲の増加<br>●K-POPからの影響<br>●ラップの大衆化・シーンの多様化 |

## 第1世代：日本のヒップホップのスタートライン

しあ　早速ですが、日本のヒップホップの文化や歴史を踏まえつつ、Mummy-Dさん自身がラップにのめり込んでいったお話からうかがっていこうと思います。

Mummy-D　僕はもともとYMO（Yellow Magic Orchestra）が好きだったんですよ。最近、高橋幸宏さんと坂本龍一さんが亡くなってしまって、すごいショックだったんですけど。エキセントリックな音像が刺激的だったんだと思う。僕が生まれたのは1970年で、YMOとかゴダイゴが流行り出したのが1980年ごろ。邦楽を超えた邦楽、つまり世界レベルの音楽性を獲得した日本の音楽が、トップチャートに出てきた時代でした。

我々世代は、若いときにそういう音楽に触れられたからこそ、耳が肥えたところがあると思いますね。そんな中、82年ぐらいにブレイクダンスが流行り始めたんです。マイケル・ジャクソンがムーンウォークをし始めたり、映画『フラッシュダンス』でブレイクダンスのシーンがあったり……。とにかく一大ブームになったんです。それを目の当たりにして、「ダンスすごい！」と思ったのが、ヒップホップにハマった入り口かな。「この動きはなんなんだろう？　分からないけどカッコいい……!!」と思ってよく聴いてみて、後ろで鳴っている音楽のカッコよさにも気づいて。そうやってのめり込み始めたのが1982年とか1983年。小学6年生とか中学1年生の頃ですね。

川原　めちゃくちゃ早いですね。

Mummy-D　当時はまだラップじゃなくても、ヒップホップ的なビートであればよかったんです。インストも多かったし。ヒップホップが生まれたのは、1973年の夏のニューヨーク・ブロンクス。はじめはその地域だけで盛り上がっていたアンダーグラウンド的なものだったんですが、それが徐々にオーバーグラウンドになって、日本にも届くようになった。当時、音楽好きな中高生は「とりあえずギター！」となるのが大多数だったと思うのですが、僕の中学はちょっと変なところがあって……。

しあ　と言いますと？

Mummy-D　横浜の普通の公立中学だったんですが、先輩がブレイクダンスのチームを作っていたんですよ。そのうえ暴走族のチームもやっていたもんだから、ブレイクダンスを教えてもらうには、暴走族の集会にも出なきゃならなくて……。

しあ　すごい話ですね。

Mummy-D　でもね、あの頃は、ヒップホップがカッコいいって気がついた人たちは、インテリか不良の両極端だったんですよ。理論から入ったインテリか「匂い」を嗅ぎつけてきた不良。まぁ、その流れは連綿と今も続いていますが。

しあ　確かにずっと両方ありますよね。

Mummy-D　中間の人もいるんだけど、年代ごとにインテリ、不良、不良、不良、インテリみたいな流れになってるでしょう。

川原　第1世代のインテリ代表は、いとうせいこうさんですかね。

Mummy-D　そうだね。俺は中間くらいの人だと思いますね、多分。

川原　どちらかというとインテリじゃないですか。

Mummy-D　……インテリなのかなあ（笑）。俺はマジメだけど、地元はヤンチャな町だったので、まさしくケンドリック・ラマーの『グッド・キッド、マッド・シティー』みたいな感じだったんですよ。80年代って本当に不良ばっかりだったんだよ。俺自身、不良ではなかったけど、リアルに『ビー・バップ・ハイスクール』『今日から俺は!!』（編集部

注：不良が主人公の漫画作品）の世界。そんな彼らに憧れていたところもあったと思います。そんな不良たちにとっても、ブレイクダンスは分かりやすかったんじゃないですかね。ナイフじゃなくて、ダンスでバトルするというところが。

川原　その頃のほうが、かえってヒップホップの神髄が理解されてたんですね。

Mummy-D　だって神髄しかないんだもんね。

しあ　じゃあ、みんなそんな神髄を知った上でブレイキンをやってたんですか？

Mummy-D　もちろん、神髄を理解してやっていた人もいただろうけど、不良は形から入るところがあるから、カッコいいってだけでやってたやつもいっぱいいたと思う。ヒップホップの捉え方って人によって違うわけじゃないですか。ある人にとっては不良性で、ある人にとっては音楽の革新性なわけで。それは人によって違っていいんですよ。ヒップホップの定義にこだわって譲らない人っていますけど。

しあ　よくX（旧Twitter）で論争が起こってますよね。

Mummy-D　やってるでしょ？でもそもそもいろんなヒップホップがあるんだから、そんなことで争ってもしょうがないじゃんって思うんだけどね。そういう意味では、当時は、深く考えすぎなくてもいい時代だったのかもしれないですね。ネットはもちろんとにかく情報がなかったから。あるとするなら、たまに流れてくるミュージックビデオ。そういうのを観て「おおっ」ってなったやつを録画して、何度も何度もくり返し見て、いろんなブレイキンの技を覚えていました。あとは、お金がないから貸しレコード屋さんに行って、それっぽいレコードを借りてきて、テープに録音して、それもすり切れるほど聴くみたいな……。貪欲だったんだな。

川原　テープがすり切れる、は私も身に覚えがあります(笑)。

Mummy-D　なんか話してて、昭和すぎて悲しくなってきちゃいました(笑)。でも本当に情報がないから、少しでもヒップホップの匂いのするものがあったら、食いついていく。深夜番組でよくかかるらしいぞとか、あの連載見ると最新の曲が分かるらしいぞみたいなアンテナはすごく立ってましたね。

川原　この時代が、黎明期と呼ばれる第1世代になるんですかね。アメリカのヒップホップを直接、何とか日本で再現しようとしてた手探り世代でしょうか。

Mummy-D　例えば、DJ YUTAKAさんは、不良の嗅覚でいち早くその革新性に気づいて、渋谷のクラブで回していたそうです。そのクラブの名前が、『ヒップホップ』ってそのまんまの名前だったらしいんだけど(笑)、俺が渋谷に行く前の話、80年代の半ばぐらいだと思います。TINY PANXの高木完さんと藤原ヒロシさんは、もともとニューウェーブとかパンクロックとか、ロンドン経由。そんな彼らが今、ヒップホップっていうのが熱いらしいぜと活動を始めたんです。せいこうさんは、もっと論理的に「盗みの美学」とか「韻を踏むとは」みたいなところから入ってったんだと思います。俺らからするとみなさん、何にもない時代にわずかな情報を与えてくれた大先輩たちですね。

## 第2世代:職業ラッパーが生まれる

川原　第2世代になると、日本でもラップの技術が成熟して、ジャンルとして確立され、それぞれのスタイルが見えてきた時代なのかなと思いますが、いかがですか?

Mummy-D　僕も含めて第2世代は、YMOや第1世代に影響を受けて始めた人が多いんじゃないかと思います。BUDDHA BRANDのようにアメリカで始めたというケースもありますけど、そうであったとしてもみんな何かしら影響は受けていると思います。スチャダラパーだってそうだと思う。

不良文化として、自分の嗅覚で好きになった人もいれば、サブカル路線から好きになった人もいて、結局は不良かインテリかという話ですよね。僕自身もこの年表で言うと第2世代なんですが、僕らは10代の頃にヒップホップに出会って、Run-D.M.C.とかLL・クール・Jとか代名詞的な存在が出てきて、Def Jam Recordingsというレーベルが中心にドンと君臨していて、ビースティ・ボーイズにハマって……俺たちもラップできるんじゃないかと夢を見出していった世代です。逆にせいこうさんとか、高木完さんとか、細野晴臣さんとか第1世代のヒップな大人は、ヒップホップから離れていきました。

離れていった人たちはヒップホップの革新性にのみ注目していたのかもしれない。その結果「今のヒップホップは面白くない」とシーンを去っていった。その点、第2世代はヒップホップが初恋の人で、「君といつまでも」だった(笑)。だからこそ日本語ラップのクラシック(古典)を多く生み出したんだと思いますね。もちろん第2世代の中にもやめちゃった人はいますけど。

ヒップホップの中でもDJやダンスは、比較的入りやすいんですよ。そのまま真似していくと本場と近くなっていく。対してラップは言葉だから、なかなかそうもいかない。

しあ　翻訳しただけでは、駄目ですもんね。

Mummy-D　そう。だから、日本語ラップをやり始めた頃、「だっせえ」って言われ続けた時代があるの。「痛いんだよ、お前ら」とか「恥ずかしいんだよ」と笑われていたのが、94年くらいかな。でも、その少し後かな、ニューヨークにやばいやつらがいるって、話が入ってきたのは。

川原　それがBUDDHA BRANDや

キングギドラ？

Mummy-D　そう。日本国内で活動していたMICROPHONE PAGERとか僕らRHYMESTERとか、日本語ラップの黎明期のメンバーに激震が走ったんだよね。

川原　BUDDHA BRANDはもともとアメリカで活動していたんですもんね。

Mummy-D　アンダーグラウンドな存在だったとは思うけど、ニューヨークで結成したのかな。その少し前キングギドラもデモテープで僕らの耳に入って。どちらも本場の匂いがしたというか、とにかくクオリティーがすごかった。そこで僕たちが細々とやっていた日本語ラップに一気にぼおんと火が灯ったんですよ。「俺たちが今やってることって、結構やべぇんじゃないの？」って。

川原　ちょうどスチャダラパーの『今夜はブギー・バック』やEAST END×YURIの『DA.YO.NE』が流行ったのもその頃ですよね。僕、中学2年生で、すごくよく覚えています。

Mummy-D　『今夜はブギー・バック』とか『DA.YO.NE』はちょっと早すぎたんだよね。

しあ　早すぎたというのは？

Mummy-D　スチャダラパーとかEAST END×YURIのようにいきなりオーバーグラウンドで活躍できた人たちと、アンダーグラウンドでハードにやっていてなかなか評価されない人たちで二分化されちゃったんですよ。とはいえ、アンダーグラウンドにもなんとなくシーンができつつあったんです。でもまだそこには少ないパイしかなくて、その奪い合いの結果、反目し合うことに。

川原　アンダーグラウンド内部でも、仲が悪かったということですか？

Mummy-D　悪かったですね。だって20代前半だよ？「俺はあいつら認めねぇ」とか、若者特有の狭量さがあって、とにかく「認める」「認めない」が大好きなの（笑）。少ない競技人口なんだから仲良くすればいいのに、しない。それにまだみんなスキルがついてきてないから、「ダサい」って言い始めたらもう「ダサい」しかないんですよ。

しあ　発展途上の中でどうやって進んでいくんですか？

Mummy-D　派閥だよ、派閥。

川原　誰と誰がとか聞きたいけど（笑）そういうわけにもいかないですよね。でも、当時誰と誰が共演している、とかから派閥関係が見えてくる気もします。RHYMESTERとSOUL SCREAMは近いところにいそうだし。TWIGYさんはMICROPHONE PAGERのメンバーでもあり、雷のメンバーでもあった。

Mummy-D　俺たちがスチャダラパーを勝手に敵視してたりね。実際は、スチャダラパーがうらやましかったからなんだけど（笑）。まあ、あちらこちらで派閥ができていたところに、BUDDHA BRANDやキングギドラがアメリカ文化から吸収したものを持ち帰ってきたのよ。まさに日本語ラップを逆輸入した形になった。彼らが真ん中に「ドン」ときて、接着剤のような役割をしてくれたんだよね。どちらのグループもうまくて、カッコよかったから、「おお、俺たちなんかやっぱりやばいんじゃね？」と認め合うようになって、急にシーンができたのが95年ぐらいかな。

しあ　離れすぎていたアンダーグラウンドとオーバーグラウンドの界隈をつなぐ役割も担ったんですか？

Mummy-D　いや、それはまだ早いかな。あくまでもアンダーグラウンド内での盛り上がりの話で。ジブさん（Zeebra）なんかが特に意識的に旗振ってた気がする。

川原　Zeebraさんは、その当時

からもうまとめ役だったんですね。でもビーフもあったんですよね？

Mummy-D　ビーフ[1]というのはヒップホップ用語で「諍い」や「喧嘩」っていう意味。あったね、色々。でもそれは若さゆえというところも大きい。それから当時、歌詞の深読みがすごく流行っていたんですよ。

しあ　逆にお互いちゃんと歌詞読んでるってところがすごいですね。

Mummy-D　今は新譜全部なんて聴ききれないじゃん。でも、当時はリリース数がそれほど多くなかったんだよね。それに必ずアナログ12インチシングルでリリースされたから、レコ屋で目にも留まりやすい。当然、狭い世界の中で話題になるしね。それで聴いてみると「あれ？」って。歌詞の一部を深読みして、「俺のことディスってんじゃね？」みたいに曲解したりね。当時本場でもディスだのビーフだのが盛り上がってたってのもあって。

とはいえ、シーン自体はまとまりつつあって、そこに『さんピンCAMP』という今でいうヒップホップフェスが開催されて、一気に全国区になったんです。『さんピンCAMP』は、記録されてビデオになったんですよ。それが地方に届くきっかけになったんです。

しあ　ビデオの登場と一緒にヒップホップが全国に広がる……！情報技術の発展とも関係しているんですね。

Mummy-D　恥ずかしい、なんか石器時代の話みたいで…（笑）。でも実際、ビデオじゃないと届かないところが多かったんですよ。地方だとヒップホップやラップが好きだなと思っても何もでき



1　ビーフ（BEEF）の語源は1984年にアメリカで放送されたファストフードチェーン「ウェンディーズ」のCM。自社の肉の大きさをアピールするために、他社のハンバーガーを食べた役者が発した「肉はどこ？」（Where's the beef？）というセリフが有名に。この挑発的な言い回しがヒップホップ界でも流行し、「罵り合い＝BEEF」として定着した。

なかったんです。でも、その人たちに直接届くようになったことで、地方の営業に呼んでもらえることも増えました。全て95～96年くらいの話ですね。

川原　ビデオに加えて、カセットテープもありましたよね。

Mummy-D　向こうのラジオを録音したカセットテープを、日本のヒップホップのセレクトショップみたいなところで買うんだよね。今考えれば、そんなの違法に決まってんだけど、情報源がそれしかなかったんだよ。向こうのMTVとかでやってるヒップホップの番組を録画したビデオテープを買ったりもしたね。そういう時代だったんです。

川原　世代で言うと『さんピンCAMP』で活躍し出したのが、第2世代と言っていいですかね？

Mummy-D　そうだね。みんな頑張ってやってたんだけど、そのとき初めてブランディングされちゃったの。『さんピンCAMP』に出れた人と出れなかった人っていう具合に、分断が生まれちゃった。90年代からすでにイベントの神格化が始まっていたし、何より『さんピンCAMP』は、さっきも言ったけど、ビデオに残ったから影響力が絶大だった。

しあ　出れる、出れないの判断はどうやって決まっていたんですか？

Mummy-D　あれは基本的に提唱者であるECDさんとカッティング・エッジというエイベックス・エンタテインメントのレーベルの人で決めてたんだと思います。ECDさん的には、各派閥から満遍なくということでした。

しあ　いろんなことを踏まえて選べるのは、やはりECDさんが第1世代の人だったということもありますか？

Mummy-D　そうそう。大人でないとダメだったんですよ。だって出場者たちはいわば、チンピラ。

誰もどこのレコード会社にも属していなくて、インディーズのレーベルから音源出し始めてはいるけど、誰ひとりプロの音楽家じゃないんだよ。

だから、ちゃんとした大人と話すには、やっぱりECDさんとか世代が上の人じゃないと無理だったんだと思いますね、振り返れば。

川原　『さんピンCAMP』といえば、やはりLAMP EYEの『証言』ですよね。雷のメンバーに加えて、ZeebraさんやDEV LARGEさんも共演している。

Mummy-D　あの頃は徐々に海外アーティストのフロントアクト（前座）の仕事なんかも増えてきて、アンダーグラウンドがオーバーグラウンドに初めて出会ったこともあって、当然歪みは生まれるよね。実際はクラブでライブやっていくらかお金もらって、ちょっとモテたり、地方に行ってちやほやされたりしてさ。それでイケイケになってたところもあると思うんだけど（笑）。それが当時の僕らの「リアル」でしたね。

川原　そんな曲が今のクラシックになっている。そこがすごいですよね。

Mummy-D　熱量だけはありましたからね。「とにかく認められたい」「日本語ラップを世に知らしめたい」っていうすごい情熱があった。あとは、ブルーオーシャンというか、まだ誰も確立してない歌唱法だったでしょう。だからそれを作っていく喜びがあったんだと思うんだよね。

川原　手探りの状態から作り上げていく喜びですね。

Mummy-D　俺らみたいな大卒もいたし、不良もいたし。でも本当に悪いやつはいないんだよ。音楽が好きだったんだよね、みんな。

## 第3世代:
## 巻き起こる日本語ヒップホップバブル

川原　第3世代はそんな「さんピン世代」に影響を受けていて、直接的なつながりのある人たちも多いと思います。RIP SLYMEやKICK THE CAN CREWはRHYMESTERの、NITRO MICROPHONE UNDERGROUNDはMICROPHONE PAGERの、L-VOKALやRICEはBUDDHAの系譜という印象があります。

しあ　それから、第3世代からは、地方で活躍する人々が一気に増えてますよね。

川原　横浜のOZROSAURUS、名古屋のTOKONA-X、宮城のGAGLE、北海道のTHA BLUE HERB……。

Mummy-D　それはさっきも話したけれど、地方に僕らが行くようになって出会ったこともきっかけになったと思います。この頃、「レペゼン」という言葉が流行ってたんだよ。自分の地方を俺たちで盛り上げるんだっていう意識が今より強かったと思いますね。仙台とか関西とか北海道とか名古屋とか。

しあ　レペゼン〇〇って誰が言い始めたんですか？

Mummy-D　誰が最初かは分からないけど、90年代に“represent”っていう言葉が、向こうの曲でよく使われてたのね。それが俺たちにはレペゼンに聞こえるからと言い始めたのがルーツだと思いますね。他にもプチャヘンズアップ（Put your hands up）とか、英語をカタカナ読みっぽくして、俺ら用語にしちゃうっていうのが流行っていたんですよね。「ディスる」なんて今やすっかり一般に定着したけど、それもこの頃僕らが輸入したスラングです。

川原　BUDDHA BRANDは英語と日本語を自然な形で混ぜていましたね。

Mummy-D　俺たちはBUDDHAのそこにしびれたわけよ。「カッコいい」「本物だ」って盛り上がってた。でも当のDEV LARGEは、キングギドラやRHYMESTERが日本語主体でやってるのを見て、仲間のNIPPSに「俺たちも日本語一本でやったほうがいいんじゃない？」とか提案したらしいよ。NIPPSは「何言ってんだよコンちゃん（DEV LARGE）、英語でやろうよー」って肩揉みながら言ったらしいんだけど（笑）。

しあ　逸話すぎますね。

Mummy-D　日本語ロック論争とまったく同じですよね。海外から文化が入ってくると最初は英語のままやろうとする人とそれを日本語でやろうとする人がいるんですよ。ロックだと前者が内田裕也さんで、後者がはっぴいえんどに当たるのかな？　でやってみると結局、後者が「そんなのロックじゃねぇ」とか言われて論争が起きるんです。さっきも少し話をしたけれど、日本語ラップも最初はすごいバカにされたし、英語でやってる人のほうが本物っぽく見えやすいんだよ。だから、日の目を見るのがダンサーやDJより遅かった。でもその代わりに日本語を武器にできた暁には、もうダンサーやDJが目じゃないぐらい、訴求力があった。

BUDDHA BRANDは、折衷のはしりだよね。今もネイティブっていうか、英語を自分の言葉として使っている人が、日本語とまぜこぜにしてラップしているじゃない？ そういうもののルーツなんじゃないかな。

川原　VERBALさん、SEEDAさん、L-VOKALさん。いわゆるバイリンガルラッパーですね。

しあ　カッコいいですよね。

Mummy-D　英語だけだと距離ができちゃうんだけど、うまいこと使っている人たちだよね。聴き心地がいいし、カッコいいしね。

それで、2000年前後に日本語ヒップホップの大流行が起こったんです。バブルとか呼ばれることもあるけど、この辺りがちょうど第3世代に当たると思う。

川原　私も2000年あたりでハマりました。

Mummy-D　テレビにはそんな出てないんだけど、若者の間でやべえやべえっていう感じで口コミ的に、広がっていったんだと思います。逆にみなさん、どこで知りましたか？

川原　私の場合は、友だち経由だったので、ちょっと特殊ですが、世間的にはRIP SLYMEとKICK THE CAN CREWのオリコンチャート入りとかが大きいんですかね。

Mummy-D　確かにね。そう考えるとEAST END×YURIとかスチャダラパーが、1994年にポップシーンに躍り出て以来、2000年あたりまでポップチャートに日本語ラップが上がることはなかったんですね。だから、RIP SLYMEとKICK THE CAN CREWがシーンに出てくるまでの間は、すごくハードな時代が続いたわけです。

川原　Def Jam Japan（現Def Jam Recordings）ができたのもその頃ですか？

Mummy-D　まさに2000年ぐらいだと思いますね。アンダーグラウンド側でめちゃくちゃイケてたNITRO MICROPHONE UNDERGROUNDの初アルバムのリリースが2000年だったんじゃないかな。そのNITROのDABOとか、TOKONA-X、SPHERE of INFLUENCEとかがDef Jam Japanと契約していましたよね。

しあ　降神（おりがみ）さんなど、ポエトリーラップが台頭してきたのもこの頃ですか？

川原　そうでしょうね、第3世代。先駆けになったのは、Shing02（シンゴツー）かもしれない。

Mummy-D　あと2000年ぐらいには、もうひとつでっかい事件がありました。この第2世代に影響を受けたロックバンドDragon Ashが台頭してきて、ポップチャートにのし上がっていった。その彼らをキングギドラが「ディスる」事件が勃発したんです。

川原　ありましたね。超有名事件ですよね、『公開処刑』。

Mummy-D　ロックの中でも彼らのようなミクスチャーロックがこの頃、一大ムーブメントになるんだけど、あの一件で日本語ラップはその流れに乗り損なったというか、オーバーグラウンドとの親和性が閉ざされてしまった側面があると思います。

川原　そもそもDragon Ashは、Zeebraさんにものすごく憧れていたんですよね？

Mummy-D　そうなんだよね。（降谷）建志くんにはラブとリスペクトしかなかったと思う。ところがそのラブの強さと耳の良さ故にスタイル的にZeebraに寄りすぎてしまった。ジブさんがそれを受け容れられなかったのも理解できるし、建志くんの失望も想像できるし、とにかくあれは不幸な出来事だった。個人的には、あそこで空白の10年が生まれたと思ってる。

川原　ラップをメインシーンから遠ざけてしまった可能性があるということですか？

Mummy-D　それは絶対にあったよね。言ってみれば非音楽的に、つまりアンダーグラウンドに根差して成長してきたラップが、オーバーグラウンドの音楽史の一部になることを自ら拒絶したとも言えるかもしれない。

しあ　1個のビーフが業界全体にどういう影響を与えるのか、あまり考えたことがありませんでした。

## バブル終焉と冬の時代のこと

Mummy-D　2000年代半ばで、この日本語ラップのバブルが終わります。

川原　「日本語ラップ冬の時代」って言いますよね。

Mummy-D　ここまではヒップホップシーンがあって、シーンに向けて、シーンを歌ってれば何とかなってた。日本語ラップのバブルを機にヒップホップシーンが一般に根付いたんだよね。その結果、届けたかった若者にもしっかり届いた。そういう意味で言えば、第2世代の日本語ラッパーたちが持っていた理想にここで一度、到達したんだと思う。もちろん、第3世代は自分たちがもっと認められたいという思いはあったと思うけど。

しあ　理想に到達したというのは、すごく大きいキーワードですね。

Mummy-D　じゃあ、その後どうなるかというと、シーンじゃなくて個のそれぞれが強くならないといけないんだよね。特に第3世代は、それぞれが自分で課題を設定しなきゃいけないんだけど、シーンとして、バブル的な盛り上がりは去ってしまった。やってる俺らもリスナーも年を取っていくし、離れていく人も出てくるじゃない？

川原　これが冬の時代の始まりですね。

Mummy-D　でもね、ヒップホップの人たちが他の音楽にも門戸を開いているよというカタチを見せられていたら、この冬はなかったんじゃないかと思っているんだよね。

川原　その間に門戸を開いていったのが……。

Mummy-D　すいません、ワタクシです(笑)。コラボをすごいやって、僕らは別のところへと歩みを進めていきました。

川原　当時、具体的にどんな方々とコラボしたんですか？

Mummy-D　BRAHMANとか、ゴスペラーズ、クレイジーケンバンドとかね。

しあ　意図的に増やしていったんですか？

Mummy-D　意図的に増やしてたというよりは、もともといろんな音楽が好きだったから、ああいう人たちと一緒に音楽をやってみたいという純粋な気持ちのほうが大きかったように思うね。音楽一般に目が向いていったというか。

川原　Zeebraさんも安室奈美恵さんと共演したりしていましたね。でも、そういうの嫌がるラッパーも多そうですよね。

Mummy-D　「そんなのはだせえよ」って、ナシにしていく方向で自分を作る人と、それもアリにしようっていう形で自分を作る人とみんな、自分のブランディングの仕方がバラバラだからさ。

## 第4世代：過渡期の中で生まれたバトル

Mummy-D　次は第4世代ね。彼らが第3世代に影響を受けてるかというとそうでもない気がするんだよね。第4世代も第2世代の影響を受けているんじゃないかな。

しあ　直前の世代の影響を受けてていてもいいはずですが、どうしてでしょうか？

Mummy-D　第3世代と第4世代は年齢が近いですよね。だからこそ、第2世代から影響を受けたのかもしれない。第3世代は前半組と後半組がいて、ぎりぎり第2世代の最後のバブルを知っているのが前半組。全てなくなった冬の時代にシーンを作っていったのが後半組。それとほぼ同時期、そのときはまだ名前が出ていなくて、アンダーグラウンドでやっていたのが第4世代の人たち。そういう激動のときにいたから、メチャクチャ苦労してるよね。

しあ　第2世代がクラシックと言われる所以は、みんなが影響を受けているからこそなんですね。

川原　第4世代はバトルが盛んになった世代でもある印象がありますが。

この時代に楽曲やバトルでシーンを引っぱっていったグループだとMSC、ICE BAHN、韻踏合組合の3グループが浮かびます。そういう意味ではこの3組は、第3.5世代と位置づけられるのかもしれません。MSCはその頃にUMB（ULTIMATE MC BATTLE）の元となるイベントを始めましたよね。

しあ　第3世代と第4世代はひとつにくくることもできるのでしょうか？

Mummy-D　そういう側面もあるよね。この2000年代は、本当に苦しい時代で、今考えると過渡期だったんだと思う。そんな中でも残っている人は、実力とかカラーがはっきりしてる人だね。例えば、PUNPEEとか呂布カルマとか。

しあ　人数で言うと、ぐっと増えた世代でもありますよね。

Mummy-D　そうだね。ちなみに日本語ラップとしてのスキルはどんどん上がってる。昔の世代の人のほうがうまかったってことはなくて、技術的な面では右肩上がり。あとは冬の時代の後に、自主レーベルがすごい増えたんですよ。メジャーに行くためには、レコード会社と契約しなきゃだめなんだけど、それにさほどメリットがないとみんな分かって、それなら自分たちでやろうとなっていったんですね。

川原　そこも面白いですね。逆に第2世代は契約していたんですか？

Mummy-D　インディーズレーベルでファイルレコードという会社があって、RHYMESTERもMICROPHONE PAGERもSOUL SCREAMも所属していましたね。契約と呼べるほどのディールではなかったんですけどね。

しあ　派閥は違えど、レコード会社は一緒（笑）。

Mummy-D　同じところに所属して、おんなじクラブに遊びに行っているのに認め合わないって笑うでしょ？　でも当時は笑えなかったんだよ、若くって。

川原　Def Jam Japanができたのも2000年ぐらいでしたね。

Mummy-D　そう。だから、第2世代と第3世代の狭間には夢があったんだよね。Def Jam Japanと契約が結べるかもしれないとかさ。実際、青田買いもすごかったんだよね、当時は。「とりあえずイケてる奴がいたら契約しろ!」ってね。

川原　だけど、結局冬がきちゃったんですよね。

Mummy-D　そう。その結果、第4世代の人たちが一番自主レーベルを作ったというわけです。谷間でね。

## 第5世代：<br>インターネットの登場で激変した世界

Mummy-D　そして迎えた第5世代。2010年代だね。僕はAKLOの存在が大きいなと思っていますね。ラップのスキルが、異次元になった。それから、インターネットの登場だよね。

しあ　これまでビデオだったのがインターネットに。

Mummy-D　俺らの時代なんてVHSだよ。恥ずかしいよ、本当に（笑）。

川原　CDですらなくなってくるんですね。

Mummy-D　ネット経由で曲を聴く、ネット上でバズる、みたいな感じだよね。それが第5世代。2010年くらいだったと思うな。

しあ　第5世代はどこから影響を受けているんですか？

Mummy-D　面白いんだけど、ここからは前の世代から影響を受けてない人が意外と多い。ちょっとした断絶があると思う。

しあ　影響を受けてない世代なんですね。

Mummy-D　実際に曲を聴くと影響を受けてたりする気もするんだけど、進んでは影響を受けていると公言しない感じというのかな。この後もっと断絶するんだけど、ここでもちょっとした断絶が起きているんだよね。特に第5世代は「日本語ラップ大好きなんです」という人たちが少ない。これは冬の時代の苦労を見ているからということもあるし、より直接アメリカのヒップホップに影響を受けている人が多いからな気がするね。

しあ　インターネットの影響は大きいですね。

Mummy-D　そうだね、自分で海外の情報にリーチできるからね。やっぱり、ビデオやカセットをダビングしていた石器時代とは全然違うよね。

川原　CDとかミックステープで聴かないから、自分の好きな曲だけ聴くことになりますよね。ミックステープのときは、全体を聴かないと好きな曲に出会えなかったけど。

しあ　あとは、やっぱりバトルブームの影響も大きかったんでしょうか？

Mummy-D　僕は関わってないけど、この後の盛り上がりを作った半分は、『フリースタイルダンジョン』に代表されるようなバトルだよね。勝ち負けがはっきりと出るところが、一般の人にとって分かりやすかったんだと思う。だからこそ、お茶の間に届き、火がついた。2010年以降、雪解けが始まって、冬が終わっていったんだろうね。

## 第6世代:すぐそばにあるラップという存在

川原　第6世代以降は連続的につながっているようにも思えますね。

Mummy-D　現在進行形だね。

しあ　最近の若いラッパーの中には、ロックやハウスのような別の音楽ジャンルと掛け合わせている方も多くいますよね。逆に、他のジャンルの楽曲にラップの歌唱法が組み込まれていることも増えたと思います。

Mummy-D　悪い意味ではなく、ラップがヒップホップから独立したというか、ラップという歌唱法だけが残っていることも多いよね。昔はヒップホップ警察がいてさ、みんな逮捕されないように気をつけながら韻を踏んでいたの。でもネットの時代になって、警察の手が届かないところで、みんなが好き勝手にいろんなことをやり始めて、それがよく作用しているというのかな。「ヒップホップとは何ぞや」ということを意識しなくてもラップができる時代になったんだね。例えば、全然違う音楽に影響を受けていてもアウトプットするときはラップになる、みたいなさ。

しあ　シンガーやアイドル、バンドなど他のジャンルの曲の中にもラップパートが増えましたよね。

Mummy-D　そう、そういう曲も市民権を得ているよね。しかもアイドルの方がラップうまかったりすることもあるからさ、もう何も言えないよね。それからK-POPの影響も大きい。

しあ　そうですね。K-POPの曲は、ほとんどラップパートがあるような気がします。

Mummy-D　K-POPって音が鋭角的だから、歌よりラップとの親和性のほうが高かったりするんだよ。そういうものから影響受けてる子たちもいるだろうし、これからもっと増えるんじゃないかな。

しあ　それこそ、80年代はみんなが知っていたラップのルーツを知らずに始めた世代とも言えるかもしれません。私自身、ラップを始めた後に知っていった感覚です。

Mummy-D　それでいいのよ。ヒップホップって言葉にこだわる人はこだわっていいし、ラップという歌唱方法を自分のアートフォームの武器にするっていうのも全然ありだから。人によるんだよね。

川原　バトルから入った人は、楽曲自体には興味がないっていう人もいますね。

Mummy-D　そうそう、そういう第6世代の子たちが、今一番輝いているよね。2020年コロナ禍と同時にピークを迎えたような人たち。

それから、ヒップホップがセレブミュージックになったよね。

しあ　セレブミュージックとは？

Mummy-D　ハイブランドがラッパーを使いたがったり、ヒップホップが世の中で一番ファッショナブルなものとして捉えられている。VHS時代からすると考えられないから(笑)。第1、第2世代はモノグラムの偽物のトラックスーツを着て、偽物のゴールドをジャラジャラ着けてラップしてたんだよね。けど、今やそれが全部本物になっちゃってる。グッチがヒップホップの影響を受けて、ジャージとか作っちゃうんだから。

しあ　冒頭の「不良かインテリか」という2本軸じゃなくて、今は本当にいろんな方がいるんですね。

Mummy-D　そうだね。もうみん

なが勝手にやってる。そういう時代になったんだろうね。

しあ　ここ数年、ヒップホップの中でもトラップ[2]が急成長したと感じます。

Mummy-D　ブラックミュージックの流れとは違うものが始まったって感じだったよね。ヒップホップは80年くらいから音源化されていって、新しいものが始まったという意識が当時はものすごいあったけど、とはいえ、やっぱり現代版のファンクだった。それが2010年代の真ん中ぐらいかな、テンポがめちゃ下がったトラップと呼ばれるジャンルが出てきたとき、ラップの乗せ方がまるで違うものになっていったんだよね。今までどおりラップしてると間延びしちゃってダサくなっちゃうから、3連符を使ってギュッと詰めたりとか、歌も混ぜてったりとか。いわばさ、今まで僕らは横16マスの原稿用紙にラップを書いていたんだよね。それがトラップが流行り始めたあたりから、みんなマスのくびきから解き放たれて、自由帳に歌詞を書いているような状態になったんだよ。ご自由にどうぞとなったことで、すごくラップが進化したんだよね。

しあ　面白いです、原稿用紙から自由帳への変化。

Mummy-D　それから、みんなの聴き方も変わったよね。ヘッドフォンで聴くようになったじゃない。

しあ　そうですね。みんなヘッドフォンをしていますね。

Mummy-D　クラブやラジカセで聴くより、ヘッドフォンのほうがよりパーソナルに響くよね。それからミックス[3]の精度が上がったのも大きな変化。昔は重低音は再生しきれなかったんだけど、最近はイ

2　アメリカ南部の影響を受けた、遅いテンポに重低音のビートが特徴的なヒップホップのジャンルの一種。連続して叩かれるドラムのハイハットや電子音が使われている場合が多い。

3　音量のバランスや位置・音色などをコントロールしてなじませる制作過程。整音。

ヤフォンでもちゃんと耳に届くようにミックスできるようになったの。だから、サブベースという重低音がトラックのキーになるような楽曲が主流になった。こうやって聴かれ方とかミックスの進化とかと連動して、変わっていく側面もあるね、確実に。

## 今だからこそ聴くべき名曲

しあ　これだけ楽曲があるとなんとも言えないところもあると思いますが、これだけは聴いておいた方がいいという曲はありますか？

Mummy-D　俺がよく知っている時代だとやっぱりBUDDHA BRANDの『人間発電所』かな。あとLAMP EYEの『証言』は、第2世代の人たちがいっぱい入ってるから分かりやすいんじゃないですかね。

しあ　あとは、RHYMESTERの『B-BOYイズム』でしょうか（笑）。やはり日本語ラップのシーンは第2世代からの影響が大きいということは、第2世代の曲を聴いておくとその後に広がりやすくなりますか？

Mummy-D　そうだね。こうやって改めて振り返ってみると、第2世代が及ぼしている影響は大きいよね。ただ第5世代以降、その影響はだんだんと薄れていくんだよね。日本語ラップに影響を受けていない人たちの作るヒップホップが新鮮に聴こえてきているのが2010年以降だと思う。でも中には、R-指定みたいに「日本語ラップ大好き。第2世代大好き」っていうのを隠さないタイプがいるのもまた事実。

川原　正直言うと、私は第2世代のほうが聴きやすいです（笑）。

Mummy-D　そうなのよ。韻をしっかり踏んでたりするのは、第2世代が好きな人たちの流れだから。

しあ　私はどちらもリアルタイムではないので、全ての世代の楽曲が同時に流れてきた感覚があって、どちらも聴きやすいですね。

Mummy-D　どんどん時代が関係なくなってきているよね。だから、この先の世代になるともっと関係なくなるはずだよ、絶対。ちなみにうちの子どもたちはもうTikTok世代だから、あらゆる時代のものを同列に聴いてる。

しあ　TikTokで昭和の曲が今流行ったりとか、ありますもんね。

## 盗用から生まれる新しい文化

しあ　これからもどんどん多様化していくと思いますが、ラップというアートフォームはやはりヒップホップがルーツにあります。その歴史に敬意を払いつつ、日本語ラップがオリジナリティーを築いていくにはどうしたらいいでしょうか？

Mummy-D　これは深いテーマだね。

しあ　例えば、アメリカのラッパーの服装を真似ることが文化の盗用と呼ばれてしまう。そういうこともあると思うんです。

Mummy-D　「文化の盗用」っていう考えは、意識が高い反面すごく問題あるとも感じてるんだよね。自分のオリジナリティーと違うエスニックな格好をしたりすると、それだけで文化が盗まれたって非難する人がいるけれど、俺はそこにリスペクトがあればいいと思う。だって、大盗用してきたんですよ、日本語ラップなんて（笑）。そもそもさ、文化は全て盗用とミクスチャーでできてるわけよ。例えば、食の文化もそう。別の国の影響を受けて、自分の地元のテイストと勝手に混ぜ合わせたものが、日本式カレーライスであり、ラーメンでしょう。だから、盗用、盗用言い始めちゃうと、文化が育たなくなっちゃうんだよね。

しあ　サンプリングも確かにある意味、盗用ですね。

Mummy-D　引用と言いたいところだけどね(笑)。最初は文化の盗用ってディスられても仕方ないんだよ。だってみんな偽物なんだもん、最初は。それが別の次元に昇華したときに初めて「あっ、カッコいいですね」と認めてもらえるわけだから。

しあ　Mummy-Dさんたちもはじめはそうでしたか？

Mummy-D　もちろんそうだったよね。「ゲットーの黒人でもないのに、お前らみたいな中流家庭の日本人がヒップホップなんてやる資格がない」って言われて、最初はすごいバカにされたんだけど、何度ディスられても「俺はこれがやりてえんだ」って続けていると、ある日、盗用が盗用じゃなくなるんだ。別の次元にいくんだよ。「文化の盗用」と言われないためには、尽きることのないラブとリスペクトが必要だよね。

# あとがき

本書は今まで執筆してきた著作の中でも特に内面を晒したものになったから、あとがきでさらにエモい文章を綴る必要もないだろう。よって短めに。まず、私はDEV LARGEが大好きだった。大好きすぎて「DEV様」と呼んでいた。彼自身のラップが格好いいのはもちろん、客演に出ればメインMCの良さを引き出すし、プロデュースした曲も名曲ばかり。憚りながら大学院生時代の私は、DEV様のような多才な言語学者になりたいと思っていた。いや、今でもそうありたいと思っている。だから本書で偉大なるラッパーたちを客演に迎え、さらに『言語学的ラップの世界』という本——そしてラップ!!——を世に出せたことを誇りに思う。DEV様、R.I.P!!!

本書で紹介した研究の一部は、科学研究費 #22K00559及び#20H05617の補助を受けている。また、本書の第2部は、コロナ禍（特に2020年の春学期）において私のオンライン授業を受講してくれた学生たちと一緒に作り上げた内容になっている。対面で会えた学生はいないが、この場を借りて改めて感謝を申しあげる。いつか「あの授業履修しました！」とオフィスに顔を出してくれる卒業生がいたら涙するであろう。そんな第2部に目を通して、忖度ないコメントをくださり編集作業を手伝ってくれた大学時代からの盟友である松谷汀さんにもお礼のことばを。

この書籍を形としてくれた東京書籍の大原麻実さんには多大

な恩を感じている。本を出版するという作業には大抵苦痛が伴う。しかし、今回はほとんど苦痛を感じることがなかった。それは何より大原さんが、本書を作ることを心から楽しんで併走してくれたからだと思う。こんなに一緒に考え、一緒に悩み、一緒に喜んでくれた編集者さんは今までいなかった。また、雑務を一手に引き受けてくださった小池彩恵子さんにも感謝のことばを。

私が処女作を世に送り出した年に生まれた娘は、8歳になりダンスの発表会で『今夜はブギー・バック』を踊り、私に涙を流させた。妹もお姉ちゃんに負けず踊りが大好きだ。彼女たちがいつしかヒップホップと真剣に向かい合い、本書を読むときがくるだろうか。今はそのときを楽しみに、彼女らの笑顔に癒やされる時間に感謝して過ごすとしよう。そして何よりいつも書籍執筆を陰で支えてくれている妻、朋子には毎回のことながら感謝のことばを捧げたい。

本書に残る誤字・脱字・誤謬・表記の統一ミスは悪霊の仕業である。これらは本書サポートページで逐次訂正させていただく。

最後に私が博士論文に記した謝辞を、今の私のことばでくり返して締めくくりたいと思う。私が博士になれたのは――そして、今でも研究を楽しめているのは――あなた方ラッパーたちの素晴らしい音楽のおかげです。ありがとうございます。

**「みんなの力　みんなが力」**

**BUDDHA BRAND（『ブッダの休日』）**

川原繁人

# 参考文献


## 第2章 朝礼:先生の長い思い出ばなし

■ **ラップに関する初めての研究発表:**
Kawahara, S. (2002) Aspects of Japanese hip-hop rhymes: What they reveal about the structure of Japanese. In Proceedings of Language Study Workshop.

■ **日本語における韻脚:**
Poser, W. (1990) Evidence for foot structure in Japanese. Language 66: 78-105.

■ **人間言語は短すぎる単語を許さない:**
Hayes, B. (1995) Metrical Stress Theory. University of Chicago Press.

■ **川原をラップ研究に導いたSteriade先生の論文:**
Steriade, D. (2003) Knowledge of similarity and narrow lexical override. Proceedings of BLS: 583-598.

■ **川原のラップ論文:**
Kawahara, S. (2007) Half rhymes in Japanese rap lyrics and knowledge of similarity. Journal of East Asian Linguistics 16: 113-144.

■ **Zeebraさんとの対談:**
Zeebra × 川原繁人(2019)日本語ラップと言語感覚.『mandala musica/マンダラ・ムジカ——普遍学としての音楽へ』: 36-59.

■ **日本語の音節特徴のまとめ:**
Kawahara, S. (2016) Japanese has syllables: A reply to Labrune (2012). Phonology 33: 169–194.

■ **ポケモン言語学とかメイド名研究とかプリキュア研究とか:**
川原繁人(2022a)『フリースタイル言語学』. 大和書房.

## 第3章 エピソード0:言語学者、日本語ラップの韻を分析する('06)

基本的に、この文中で紹介されている研究結果に関する文献は、上記のKawahara (2007)をご参照ください。ただし、O, E, O/Eに関してはFrisch, S. et al. (2004) Similarity avoidance and the OCP. Natural Language and Linguistic Theory 22: 179–228を重要参考文献として挙げておきます。観察値から期待値を自動で計算するExcelシートはサポートページからダウンロードできます。

### 第5章 講義2:ヒップホップの誕生とその歴史


■ **ヒップホップの歴史をもっと詳しく知るための読書案内:**

KRS-ONE(2009)The Gospel of Hip Hop. powerHouse Books.
*著者は有名なラッパー。聖書をモチーフとして書かれていて、ある意味ヒップホップを知るための「バイブル」。

宇多丸・高橋芳朗・DJ YANATAKE・渡辺志保 (2018)『ライムスター宇多丸の「ラップ史」入門』. NHK 出版.
*アメリカのヒップホップシーンの歴史と日本語ラップの歴史が具体的な曲紹介とともに書かれていて、非常に勉強になる。

長谷川町蔵・大和田俊之(2011, 2018, 2019)『文化系のためのヒップホップ入門1, 2, 3』. アルテスパブリッシング.
*教科書的な話だけでなく、著者2人の解釈が押し出されていて、読み応えがある。

ジェフ・チャン他(押野素子、訳)(2016)『ヒップホップ・ジェネレーション』.リットーミュージック.
*ヒップホップの成り立ちや考え方をより深く知るために。

『Wild Style』
*1983年に公開されたヒップホップの誕生当時の様子を記録したドキュメンタリー風の映画。その頃の様子がよく分かる。




### 第6章 講義3:制約は創造の母である


■ **Dr. Seussについて気になる人は:**

Morgan, J. & Morgan,N (1995) Dr. Seuss & Mr. Geisel: A Biography. Random House.

■ **韻による単語と単語の運命的な出会いについて:**

Zeebra (2018)『ジブラの日本語ラップメソッド』. 文響社.

■ **くり返しは育て手の愛情!?:**

川原繁人(2022b)『音声学者、娘とことばの不思議に飛び込む』. 朝日出版社.

■ **異化作用について:**

ラマーン・セルデン(栗原 裕、訳)(1989)『ガイドブック　現代文学理論』. 大修館書店.


### 第7章 講義4:日本語ラップは言語芸術である


■ **Verbal artの定義や分析について:**

Fabb, N. (1997) Linguistics and Literature. John Wiley & Sons.

■ **いとうせいこうによる日本語ラップ論:**

いとうせいこう他(2017)『日本語ラップ・インタビューズ』. 青土社.

# 著者紹介

## 川原繁人

2002年、国際基督教大学より学士号(教養)、2007年、マサチューセッツ大学より博士号(言語学)を取得。ジョージア大学・ラトガーズ大学 assistant professor を経て、2013年に慶應義塾大学言語文化研究所に移籍。現在、教授。専門は言語学・音声学。近著に『音声学者、娘とことばの不思議に飛び込む』(朝日出版社)、『フリースタイル言語学』(大和書房)、『なぜ、おかしの名前はパピプペポが多いのか?』(ディスカヴァー21)、『うたうからだのふしぎ』(講談社)、『日本語の秘密』(講談社現代新書)など。義塾賞(2022年)、日本音声学会学術研究奨励賞(2016、2023年)を受賞。

## Mummy-D(ライムスター)

ヒップホップ・グループRHYMESTERのラッパー、プロデューサー。1989年に宇多丸と出会いRHYMESTERを結成。日本のヒップホップ・シーンを、黎明期から開拓、牽引してきた立役者の一人。近年は益々旺盛な音楽活動に加えて、ナレーター、役者、また東京藝術大学で講師をつとめるなど、活躍が多岐にわたる。(本書では第3部に登場)

## 晋平太

1983年に東京で生まれ、埼玉県狭山市で育つ。日本最大規模のラップバトル「ULTIMATE MC BATTLE」で2連覇を達成するなど、数々のラップバトルで王座を獲得。自身の夢について「全員が主役になれる世の中=1億総ラッパー化計画」を掲げ、フリースタイルの伝道師として、企業や小学校、自治体などとタッグを組み、全国各地でラップの普及活動をおこなっている。(本書では第3部に登場)

## TKda黒ぶち

1988年生まれ。埼玉県を拠点に活動するラッパー。高校生の頃からラップを始め、テレビ朝日の人気番組『フリースタイルダンジョン』の3代目モンスターに就任。現在、テレビ朝日『フリースタイル日本統一』に出演中。トレードマークは黒ぶち眼鏡。(本書では第3部に登場)

## しあ

長崎生まれの福岡育ち、東京在住。2016年より活動を開始し、2021年に1stアルバムをリリース、2022年には期間限定で自身の楽曲『スシロー行きたい』がスシロー全店でオンエアされた。幸せのコップをあらゆる形で満たすことを信念に、音楽イベントの主催や、ラップのワークショップの開催等もおこなう。(本書では第3部に登場)

装丁・本文デザイン　鳴田小夜子（KOGUMA OFFICE）
装画・本文イラスト　朝野ペコ
編集協力　滝沢 悠

本書のサポートページ
http://user.keio.ac.jp/~kawahara/rapbook2023.html

言語学的(げんごがくてき)ラップの世界(せかい)

2023年　11月29日　第1刷発行
2024年　2月28日　第2刷発行

著者　川原繁人(かわはらしげと)
feat. Mummy-D(マミーディー)・晋平太(しんぺいた)・TKda黒ぶち(ティーケーダくろ)・しあ

発行者　渡辺能理夫

発行所　東京書籍株式会社
〒114-8524　東京都北区堀船2-17-1
電話　03-5390-7531（営業）
03-5390-7515（編集）

印刷・製本　図書印刷株式会社

ISBN 978-4-487-81688-0　C0080　NDC811


出版情報　https://www.tokyo-shoseki.co.jp